LA DÉMARCHE DU CRABE

Monique LaRue

LA DÉMARCHE
DU CRABE

roman

Boréal

Les Éditions du Boréal sont inscrites au Programme de subvention globale du Conseil des Arts du Canada.

L'auteur remercie le Conseil des arts et des lettres du Québec pour la bourse qu'il lui a accordée.

Conception graphique: Gianni Caccia
Illustration de la couverture: Tony Stone Images

Diffusion au Canada: Dimedia
Distribution et diffusion en Europe: Les Éditions du Seuil

Données de catalogage avant publication (Canada)

LaRue, Monique
    La Démarche du crabe
    ISBN 2-89052-701-8
    I. Titre.
PS8573.A738D45   1995   C843' .54   C95-940480-5
PS9573.A738D45   1995
PQ3919.2.L37D45   1995

*Laissons les souvenirs disparaître dans
le sable, à la vitesse des crabes creu-
sant leur trou...*

ANNE HÉBERT.

SARAH

I l n'est pas toujours possible de déterminer avec exactitude le commencement et la fin. Dans les récits anciens, il y avait un personnage annonciateur de mort. *Nuncius mortis.* Je ne l'ai pas reconnu. Maintenant, je comprends que mon récit est aussi celui de la mort avançant par paliers.

Le mardi, j'ai toujours fait du bureau à domicile, à l'ancienne. Il venait des clients du quartier, des connaissances, des parents. C'était mon refuge contre la mentalité des polycliniques où je travaillais le reste du temps avec des endodontistes, orthodontistes, pédodontistes, denturologistes.

C'était en 1987, et le printemps avait oublié d'arriver. Pendant la nuit, il y avait eu un violent coup de froid et, ce matin-là, la radio annonçait que du grésil et de la neige fondante allaient s'abattre sur l'Est du pays. Au début de mai.

Un jour de tempête et d'intempéries, comme il se doit. Les lamentations du vent, la grêle crevant les pétales cirés des tulipes noires... Ce temps ranimait des sentiments anesthésiés depuis longtemps par la vie en ville. Ceux des vacances au bord du fleuve, peut-être.

J'aime les orages et les tempêtes, le vent, le grésil et tous les signes météorologiques. Ils nous rappellent que nous ne dirigeons rien et que nous sommes contingents.

Ce mardi-là, donc, j'étais seul, pour la première fois depuis longtemps, dans mon château de TMR, Tiemmarre, Town of Mount Royal, Québec, Canada. Une vaste boîte rectangulaire — fenêtres panoramiques, entrée asphaltée, garage à porte télécommandée, portique corinthien, jardin dit «paysager», bassin et jets d'eau. Un mausolée, un beau navire, où j'aurai passé la majeure partie de ma vie.

Ma femme, Nicole, était partie en randonnée pédestre dans les montagnes Vertes avec son «groupe de femmes». Pour un temps indéterminé. Elle avait dit: «Peut-être pour toujours», d'une voix sourde, en me quittant sans m'embrasser. Elle s'identifiait aux héroïnes de téléromans féministes. Elle lisait *Madame Figaro*, *Madame au foyer*, et puisait dans ces publications des idées toutes faites, des poncifs, une langue de bois qui empêchaient toute conversation digne de ce nom entre nous. C'est du moins la conviction que j'avais en la regardant s'en aller en compagnie d'une matrone à cheveux gris et salopette de travailleur, dans une vieille camionnette Volkswagen.

Quelques minutes après son départ, on a sonné dans mon bureau. J'ai cru qu'elle avait oublié quelque chose. C'était bien avant l'heure des visites, mais on sonnait impérieusement et ce tocsin obstiné ne cesserait pas de lui-même. Je me suis précipité pour répondre, comme si une « révélation » allait m'être faite.

Dans la vitre de la porte, il y avait un petit visage inconnu, cinglé par la grêle. Une jeune femme me regardait intensément. Le bureau était fermé à double tour. Je lui ai fait signe que j'allais chercher la clé. Elle avait des écouteurs dans les oreilles, et je pouvais entendre le tam-tam spasmodique, le hoquet de cardiaque de la *pop music*.

Je lui ai ouvert mais elle est restée sur le seuil, en continuant à me dévisager, sans sourire, sans bouger, sans vouloir cacher sa curiosité. J'ai tout de suite pensé qu'il ne s'agissait pas d'une erreur. C'est moi qu'elle cherchait. Pourtant, je ne la connaissais pas. Je n'avais pas la moindre idée de ce qu'elle venait faire si tôt le matin, avant l'heure, sans rendez-vous. Je lui ai dit d'entrer. Il faisait froid, la pluie allait tout mouiller. Déjà, sans doute, je pressentais quelque chose.

Elle mâchait de la gomme. Je n'ai pas raconté ce que je raconte toujours à propos de la gomme à mâcher. Ce n'était pas une de mes patientes. Elle paraissait si concentrée, si avide de réussir et si tendue vers son but, que je me suis tu instinctivement. Un mot, un geste pouvait déclencher d'obscures hostilités contre moi, contre ce que je représentais probablement pour elle. Dr Luc-Azade

Santerre, dentiste. Town of Mount Royal, forteresse de parvenus.

Ainsi, avant le moindre échange de paroles, mon masque, les préjugés que j'entretenais secrètement contre moi-même, tout le moule avait commencé à craquer.

Elle restait là, plantée devant moi, et j'ai osé la regarder à mon tour. Cheveux noirs, teints, coupés court, gominés et lissés vers l'arrière, en garçon. Robe courte en tissu synthétique, noire. Bottines épaisses, genre bottes de soldat. Le visage effilé. Les lèvres mangeant le visage. Poitrine lourde, taille d'enfant, jambes de gazelle. La jeunesse, la beauté. La jeunesse et la beauté venaient de frapper chez le plus moche des dentistes de la ville la plus insignifiante du pays le plus insipide du monde. Je voulais savoir qui elle était. Ses petits yeux perçants me scrutaient. Rien d'autre ne l'intéressait. Elle cherchait manifestement, à travers moi, quelque chose d'autre. Après quelques instants, elle m'a fait une sorte de sourire. Une concession à la politesse. Même sans bouger, son corps ondoyait.

Un circuit oublié allait se rétablir. Je sentais les premiers grincements, une pompe qu'on réamorce. J'ai dit quelque chose comme : «Bonjour! Vous n'avez pas de rendez-vous?» Mais elle n'a pas répondu, continuant à me regarder, plus durement peut-être, et m'arrachant mon identité comme on décollerait d'un coup une pellicule de plastique invisible.

Je n'aime pas les exploiteurs de mauvaise conscience qui sonnent aux portes dans les quartiers riches. Des drogués, des détraqués. Elle allait me raconter qu'elle avait été violée et battue, qu'elle revenait du Nicaragua, qu'elle militait pour le droit à l'avortement. Je ne donne pas d'argent à la porte. Je préfère passer par des organismes reconnus. Un punk, un forcené pouvait aussi bien l'attendre dans le jardin. Je m'apprêtais à la renvoyer à ma manière.

Mais elle a poussé une espèce de grognement. Pendant quelques secondes, j'ai eu l'impression d'assister à une incompréhensible scène muette. Elle ravalait sa salive. Elle gesticulait et gémissait comme si un mal familier, exaspérant, venait de s'emparer d'elle. Elle s'est penchée brusquement en arrière, son sac est tombé. J'ai vu qu'elle saignait du nez.

Du sang coulait de ses narines en deux filets rouge clair. J'en ai reçu sur mon pantalon. Une flaque se formait par terre. Elle tentait de s'essuyer, se barbouillait, fouillait dans ses poches, me lançait des coups d'œil en se débattant. J'ai enfin eu l'idée de tirer une chaise, d'aller chercher un rouleau de papier pour réparer les dégâts.

Le sang me dégoûtait de plus en plus. Jusque-là, j'avais évité de considérer ce détail : j'avais développé une phobie secrète, une intolérance psychologique aux hémorragies. Et pour un chirurgien-dentiste, le problème n'avait pas de solution évidente.

Il était huit heures trente du matin. Une incon-nue saignait du nez dans mon bureau. Elle avait tout sali et elle restait là, livide, les lèvres pâles, assise mollement, attendant Dieu sait quoi. Elle semblait si excédée, son regard revenait de si loin, qu'on se sentait presque plus jeune qu'elle. Je ne savais ni quoi faire ni quoi penser. Je guettais le lent retour de la couleur sur son visage. Mais son teint est resté longtemps cireux, jaunâtre. Le sang séchait dans ses narines. Elle s'est mise à bredouiller quel-ques excuses. J'attendais qu'elle s'explique. On aurait dit qu'une déesse de la fatalité, qu'elle ne connaissait que trop bien, dont elle ignorait les visées, venait une fois de plus, à contretemps, de l'importuner sans raison.

Je retrouve ces détails par la mémoire et je les imagine sans doute en grande partie. Il n'y a pas de souvenir sans imagination. Ce n'est que plus tard que j'ai éprouvé le besoin de prendre des notes, pour éviter que les choses ne m'échappent.

J'ai commencé par les saignements de nez pour que Sarah se reconnaisse. C'est infaillible. Ça ne s'invente pas.

Alors, si un jour mon livre sort du monde des livres et aboutit dans le monde de Sarah, si ma bouteille à la mer lui parvient, si j'achève ce mes-sage et si plus tard elle le lit, c'est certain, elle va se reconnaître. C'est un signe qui ne peut pas lui échapper. Ces saignements de nez intempestifs, qui l'exaspèrent, dont elle ne sait pas la cause, *dont je me propose de lui révéler l'origine*: c'est bien elle. Sarah. Ce ne peut être qu'elle. Elle ne peut pas ne pas se reconnaître.

La voilà devenue personnage.

Non pas le personnage principal. C'est sa mère, Michelle, qui a toujours eu ce privilège et qui a toujours joué ce rôle dans ma vie.

« Michelle, ma belle, sont des mots qui vont très bien ensemble, très bien ensemble... » Sarah va se reconnaître et comprendre le nom que je donne à sa mère. Une chanson des Beatles.

Si je réussis à le ficeler assez solidement, mon livre parviendra à franchir un peu de temps, un peu d'espace, jusqu'à elle. Je l'aurai rattrapée et, quand elle aura commencé à lire, elle ne voudra pas s'arrêter. J'ai quelque chose à lui dire.

Si cela réussit, j'aurai modifié l'image qu'elle a de moi, Luc-Azade Santerre, dentiste à Ville Mont-Royal, Québec, Canada. J'aurai modifié l'image que les autres vont garder de moi. J'aurai réussi à dire quelque chose aux autres.

Une lubie, probablement.

Si cela ne réussit pas, je ne le saurai pas. Je ne le saurai pas avec certitude. C'est la marge d'incertitude qui nourrit la lubie. Un peu comme dans le pari de Pascal.

Je n'ai rien à perdre. La concentration de mon esprit sur les mots de la langue française et sur ce fil solide, souple, invisible, qui arme les récits pour leur voyage dans le temps et dans l'espace, m'aura de toute façon évité de sentir et de vivre pendant quelques heures. Ce qui est pris est pris.

— Ça va mieux ?

— J'ai mal aux dents.

Elle marmonnait faiblement, les lèvres serrées, en fixant le plancher. L'odeur fade du sang se mêlait au parfum artificiel de sa gomme à mâcher. J'ai ouvert la fenêtre pour faire entrer l'air. Un luxe, pour un dentiste. J'avais mal au cœur et j'avais peur de me trouver mal. Je n'avais pas jusque-là envisagé la réalité en face : je ne voulais plus faire ça. Réparer des dents. Je ne voulais plus être dentiste. Je n'aimais pas ça. Je n'avais jamais aimé ça.

— Je ne vous connais pas ? Vous n'avez pas de rendez-v...

— Non.

— Qui est votre dentiste ?

— ... pas de dentiste.

— Pas de dentiste ?

— Non.

— Mais vous êtes déjà allée chez un dentiste !

— Non.

— Jamais ?

— Non.

J'ai pris la décision de la tutoyer.

— Pourquoi est-ce que tu viens me voir, moi ?

— Parce que j'ai mal aux dents.

J'ai cru qu'elle allait se mettre à pleurer. Pour me redonner de l'aplomb, je lui ai demandé comment elle s'appelait. J'ai écrit son nom : Sarah Rock. Drôle de nom. J'ai noté une adresse, un numéro de téléphone en travers d'une page. Normalement, ma femme fait ce travail.

Je subodorais quelque chose. Comme devant un enfant dont on se demande s'il ment ou s'il ne ment pas.

Elle habitait une des rues au nom anglais près de la voie ferrée qui sépare la chic TMR de la ville de Montréal. Née en 1968. Devait aller à l'université. Les étudiants habitent souvent là-bas.

— Je peux bien t'examiner...

Il fallait enlever ses chaussures, mettre des patins en papier, une idée de Nicole encore, pour ne pas salir.

Elle s'est étendue sur la chaise, je me suis emparé du premier instrument venu.

Elle n'avait pas menti. Elle avait certainement très « mal aux dents ».

J'ai été si surpris, ce que sa bouche trahissait était si inattendu, que j'ai d'abord pensé qu'elle avait cherché un dentiste de quartier parce qu'elle avait honte de consulter quelqu'un de son entourage. Ce que j'avais sous les yeux était la bouche d'une vieille, d'une très vieille femme qui n'aurait pas vécu en Amérique du Nord à la fin du XXe siècle. Je retenais mes commentaires, je tâchais de cacher mes réactions.

Une patiente est arrivée, dans un invraisemblable imperméable en plastique fumé. Mrs. Fraser. Une voisine qui échange des rosiers avec nous. Elle prend toujours le premier rendez-vous de la journée.

Elle se plaint toujours du temps. Oh yes, Mrs. Fraser, the weather, a real catastrophe.

— Écoute, Sarah, il est... normal que tu aies mal aux dents, comme tu dis. Je peux probablement faire quelque chose pour améliorer ton sort. Mais ce n'est pas simple. La prochaine fois, je pourrais être plus précis. Une chose est certaine, il faudrait venir ici pendant plusieurs mois.

J'avais parlé sans réfléchir. Pour revenir à la réalité, peut-être, j'ai ajouté qu'il y aurait des frais, pas toujours remboursés par l'assurance. Elle a sorti un portefeuille, comme si de rien n'était, et a demandé combien elle me devait. Ensuite, elle a toujours payé comptant, du bout des doigts, hautaine. Je pense que Sarah n'a jamais pu juger de son état. Encore maintenant, elle n'est sans doute pas consciente de ce qu'elle me révélait. Je n'ai rien dit. J'ai seulement pris la précaution de mentionner que les traitements pouvaient être longs, douloureux, et au bout du compte un échec. Comme aller à Tombouctou. On sait quand on part mais on ne sait pas quand on va arriver ni comment on va se rendre là-bas. Les mots sortaient à contrecœur, sonnaient faux à mes oreilles. Elle m'a interrompu : « C'est correct. Pas de problème. » Il y avait dans son regard des éclairs sombres, mais elle semblait tout de même soulagée, allégée, et j'ai éprouvé moi aussi une satisfaction absurde, un élan immotivé vers elle. L'envie de l'aimer. Ou l'envie d'aimer. Je ne m'y connais guère.

J'ai inscrit le rendez-vous, donné un «numéro de téléphone d'urgence, si la douleur est trop grande». Elle a haussé les épaules en replaçant ses écouteurs. Lointaine, indéchiffrable. La douleur n'était rien du tout pour elle. Un fétu dans un voyage de foin.

Elle est partie sans me remercier ni rien. Indépendante.

J'avais rêvé. C'était un cas incroyable, trop rare pour être vrai. Il fallait la revoir. Tout de suite. Elle me disait quelque chose. Mais quoi? Si elle ne revenait pas?

Une si grande beauté, un tel contraste. C'était presque trop clair, en un sens. Il me semble que, depuis, je n'ai cessé de revenir à cette vision pour tenter de l'expliquer. Une coquille parfaite et à l'intérieur... Un envers et un endroit.

Je voulais la revoir. J'avais oublié depuis longtemps ce que c'est que d'avoir hâte et d'attendre. Elle me manquait déjà! J'avais peur de l'avoir perdue!

Je ne savais pas encore que Sarah venait d'entrer dans ma vie pour n'en sortir que par la voie royale du livre que j'écris *pour elle*, en ayant le sentiment d'acquitter la dette des autres. La dette de son père et de sa mère. Car j'estime que tout le monde a le droit d'être informé de son passé.

D'acquitter ma dette, aussi. Car Sarah m'a

indiqué involontairement, indirectement, une porte fermée dans ma vie, dont j'avais oublié l'existence. Elle m'a remis la clé de ma vie. Et je veux lui rendre la pareille. Lui remettre la clé de sa vie. Le nom de son père.

Je ne pouvais pas deviner qui elle était. Mais je sentais parfaitement que le mystère venait de s'emparer de moi. De reprendre ses droits sur ma vie depuis longtemps sans mystère. Les désirs faux avaient fait place à un désir plus ancien, plus véridique.

Le jour dit, elle est revenue, exactement à l'heure fixée. J'avais élaboré un plan de traitement échelonné sur quatre mois, qu'elle a écouté avec indifférence et paru approuver. Je n'aime pas les complications. Questionnée à propos de ses saignements de nez, elle a laissé entendre qu'ils se produisaient souvent, très souvent. Qu'elle n'en connaissait pas la raison. Cela me semblait anormal, inexplicable. Je n'ai pas fait le lien, pourtant évident, avec cette autre personne, perdue de vue, oubliée depuis longtemps, qui saignait aussi du nez. Rien compris, rien deviné.

Cet été-là, j'ai renoncé à mes vacances habituelles. Nicole ne voulait plus rien entendre du traditionnel mois de juillet au chalet en ma compagnie et je n'en avais plus envie, moi non plus. Entre ma femme et moi, rien n'allait plus depuis des mois, et cette jeune fille venue de nulle part est vite devenue une hantise. J'ai toujours eu tendance à gratter mes plaies, à cultiver des obsessions. Après le ski alpin et le jogging, les mouches à pêche, le voilier, le yacht, le micro-ordinateur, Sarah tombait pile. Elle était un puzzle, une idée fixe qui me dispensait de chercher une signification à ma vie. Un peu comme une affiche de Marilyn Monroe détourne l'attention du mur lézardé.

J'ai pourtant dû mettre ma curiosité sous le boisseau. Sarah Rock n'était pas du genre à répondre aux questions. Elle baissait les yeux, haussait les épaules. Cadenassée. Je craignais toujours de l'insulter, d'essuyer un de ces regards qui vous exécutent en moins de deux les vieux gaffeurs paternalistes. Les causes de ses problèmes, leurs séquelles éventuelles, son état de santé général : elle s'en fichait. Elle ne me demandait que de camoufler les dégâts. Ce qui était fait était fait. Des réponses, Sarah n'en avait pas. Pas de souvenirs. Sarah Rock vivait à cheval sur un cratère.

Je suis tout de même arrivé à l'hypothèse qu'elle était allergique au lait. Du moins, elle disait n'en avoir jamais bu. Je suppose qu'on l'avait abreuvée de jus, d'eau sucrée au biberon : le goût du sucre lui était indispensable et elle ne s'endormait jamais sans un bonbon. Je lui ai conseillé d'abandonner son habitude. Mais elle n'était pas non plus du genre à recevoir des conseils. Apparemment, elle manquait et avait manqué, depuis toujours, des éléments nutritifs et des soins hygiéniques considérés comme élémentaires dans nos régimes de santé. Une vague supériorité de manières disait pourtant qu'elle ne pouvait qu'avoir été élevée dans un milieu où l'on connaît l'usage de la brosse à dents et l'existence des vitamines.

Elle avait sucé son pouce. Les racines de certaines dents étaient anormalement courtes et j'ai pensé qu'elle avait subi un choc, reçu un coup durant la première enfance. Elle était tombée d'une balançoire, peut-être, ou sur la glace en patinant... Elle n'était au courant de rien.

Une incisive était morte et la canine, très pointue, avait pris la place. Cela lui faisait un de ces sourires personnels, singuliers, qui signent un visage et qui disparaîtront à jamais d'Occident si mes confrères, les ortho-pédodontistes, réussissent leur mission.

Le contraste entre la beauté, la jeunesse de Sarah et ces plaies intimes que, pour des raisons qui m'échappaient, elle avait choisi de me confier amplifiait de fois en fois le mystère, le sentiment d'être en face d'une énigme, d'une question dont bizarrement j'aurais connu la réponse dans une autre vie. J'épiais son visage, son front lisse, sa peau mate, ses pommettes à peine saillantes, ses épaules rondes, ses mollets musclés et fermes se détachant, resplendissant sur le bleu poudre de la chaise. Puis, dans l'éclairage sans ombre du scialytique, c'était un autre moi-même qui examinait ces dents déchaussées, hirsutes, plantées inégales, comme des pierres tombales à l'abandon. Elle était un rébus vivant.

La façon dont elle était survenue, ces saignements de nez fréquents qui gâchaient sa vie, à propos desquels elle ne voulait rien dire et qui risquaient à la longue, selon moi, de causer une anémie chronique: rien ne s'expliquait. Mais tout avait un sens. Et l'équation avait deux degrés: il y avait l'énigme, et l'énigme de l'énigme, celle que j'étais devenu pour moi-même. Car il existait une raison à ma curiosité, une raison que j'ignorais mais dont la réalité était aussi certaine que celle de l'eau vive sous la glace d'une rivière gelée par l'hiver. Et ces sentiments inexplicables redonnaient à ma vie un intérêt auquel j'avais renoncé sans m'en rendre compte, ou sans me l'avouer.

De tout cet été-là, elle n'a pas manqué un seul rendez-vous. Elle arrivait à la minute près, sans avance ni retard, me battant sur le terrain de la précision, de la minutie et de la méthode. Elle avait toujours des vêtements différents. Des fois, elle portait un petit chapeau de paille rond à voilette et de longues robes en soie, de longues jupes en brocart, des vêtements vaporeux, décatis, aux couleurs passées, qu'on imaginait avoir appartenu, au début du siècle, à des femmes aussi frivoles que pudiques. D'autres fois au contraire, son corps enfantin et menu de petite fée était moulé, plastifié dans des combinaisons phosphorescentes comme celles que portent les cyclistes. Ponchos et bonnets péruviens en plein été, blousons de football, justaucorps en dentelle noire. Un message, une signification volatile se dégageait de ses déguisements. L'éternel, le salutaire génie de la jeunesse. Elle s'installait sans parler, gardait ses écouteurs, fermait les yeux. J'essayais de deviner, de déchiffrer l'inscription d'une cassette. Mais elle n'ouvrait pas la moindre brèche pour copiner. Certains jours elle portait un casque de moto, une veste d'aviateur qui sentait le tabac brun. Elle attachait parfois un saint-bernard à la porte. Elle ne manquait certainement pas d'argent. Elle vivait certainement dans un milieu aisé. Elle en avait l'assurance et, pour autant que je pouvais en juger, le langage. Mais je ne pouvais rien déduire de ces indices.

Le traitement comportait des opérations de haute précision, de celles pour lesquelles je suis reconnu, qui exigent une dextérité, une coordination motrice sans faille, et qui justifient peut-être l'expression d'«art dentaire». À tout moment une hémorragie pouvait se déclencher. Je consultais mes collègues, fouillais dans des bouquins que je n'avais pas ouverts depuis l'université. La moindre intervention était périlleuse et pouvait abîmer pour toujours le peu qui restait de ces ruines poreuses et sans racines. À chaque étape, il fallait craindre de tout rater, de tout détruire. L'asepsie buccale n'est jamais facile ni complète et je n'avais jamais rien vu de pareil.

Sarah ne se comportait pas non plus comme les autres. Son visage ne se crispait pas à l'approche du bourreau. Elle ne m'adressait pas ces grimaces exagérées et stupides, ces rictus qui, à la longue, jour après jour, finissent par saper le moral de celui qui les provoque et qui n'a pour horizon, toute sa vie, que les visages tendus, hostiles et méfiants, les poitrines oppressées, les jambes entortillées de ses congénères : les effets infantilisants de la peur toute-puissante et sans objet dont il ne subsiste, dans notre monde, que si peu de traces.

Comme tant de jeunes filles qui n'ont pas conscience de leur beauté, ou qui dissimulent qu'elles savent à quel point elles sont belles, ou qui ne veulent pas reconnaître la valeur de la beauté, Sarah donnait l'impression de courir un danger. C'était un diamant au bord du chemin, la perle chez les pourceaux. Je lui attachais sa blouse, là où les cheveux s'implantent au creux de la nuque en un épais tapis brossé, un V noir et velouté. Et combien de fois ai-je été sur le point de tout arrêter pour parler avec elle ! Savoir qui elle était, avec qui elle vivait, ce qu'elle faisait de sa vie. Des mots montaient à mes lèvres — non, n'ouvre pas la bouche... Absurde.

Elle ne semblait rien soupçonner des velléités qui naissaient au bout de mes doigts et les faisaient trembler imperceptiblement, s'insinuaient dans mon corps et dans mon esprit comme sur la plage, quand les vagues nous lèchent les orteils, qu'il faudrait se lever, déménager, et qu'on reste en sursis dans l'engourdissement du soleil et de la chaleur. Elle venait, repartait, régulièrement et assidûment, comme si cela devait durer toujours. Je rêvais au corps fragile, au petit visage, aux lèvres de Sarah. J'oubliais l'envers. Dès que je prononçais les mots rituels, « c'est beau comme ça », « c'est fini pour aujourd'hui », sa bouche se refermait, hermétique, et je me dissociais de moi-même. Le pli mou et narquois de son demi-sourire me poursuivait pendant que, distraitement, je soignais les autres. Le temps passait. Je n'arrivais pas à interpréter ni à reconnaître ce sourire si personnel, si singulier.

Elle est venue fidèlement tout l'été et quelque chose me disait que ces rendez-vous étaient, pour elle aussi, l'affaire la plus importante de sa vie. Personne, il me semble, n'aurait pu rester indifférent à l'indépendance de Sarah, à son ironie muette, à toute sa manière d'être — son pas précis, rapide, décidé, courageux, ses soupirs profonds, ses ricanements ambigus qui me faisaient frémir et me rappelaient périodiquement qu'il ne fallait pas y compter, qu'elle ne m'aimait pas. Une part d'elle me détestait, moi et mes semblables.

Peu à peu j'ai admis que je ne pourrais jamais renoncer à chercher qui elle était, à comprendre quelle chimère elle poursuivait, pourquoi elle était tombée chez moi un jour de pluie et de grand vent du mois de mai 1987. Elle était ce modèle inappropriable, dont le regard ne rencontre jamais celui du photographe obsédé qui va passer sa vie à traquer un instant, un seul instant de vulnérabilité... Elle m'intriguait comme les tiroirs, dans la chambre des parents, intriguent les enfants.

La nuit, je me réveillais la tête lourde, l'estomac serré par un cauchemar, toujours le même. Elle saignait. Du sang coulait sur la chaise et par terre. Je ne pouvais rien faire. Je courais au téléphone, mais c'était un de ces rêves à répétition, un de ces rêves d'impuissance et d'angoisse dans lesquels une force bloque la volonté. Je me réveillais les tempes battantes, je la voyais, juste à côté de moi, dans le noir.

Je me suis mis à la chercher sans la chercher dans les magasins, le métro, l'autobus. J'allais faire des achats, marcher dans le quartier où elle avait dit habiter. Dans la rue, je changeais de trottoir, je suivais des passantes. Je la reconnaissais à tout moment dans une de ces jeunes femmes filiformes et fragiles, à la jupe trop courte et aux cheveux de garçon teints en noir, qu'on voyait un peu partout cet été-là dans le métro, dans l'autobus, à la télévision. Un jour, l'une d'elles s'est retournée et m'a regardé sévèrement. J'ai bredouillé des excuses. Je ne voulais pas lui faire peur. J'ai compris que je voyais des Sarah partout. Accoudées à un bar, assises à une terrasse. Des copies de Sarah partout.

Dans un magasin de vêtements pour hommes où j'étais entré par hasard, une vendeuse lui ressemblait vaguement. Du moins, c'est ce que je croyais. C'était une effrontée qui servait les clients en se dandinant et en montrant son nombril pour les ensorceler. J'y suis retourné plusieurs fois, attiré par la silhouette hallucinante, virevoltante de la jeune fille. J'ai même pensé que, dans cette boutique obscure, perdue dans un couloir de métro, se pratiquait une sorte de prostitution larvée. À la caisse, un gros homme à queue de cheval grise surveillait les opérations. La jeune fille, sous prétexte d'aider le client à essayer son pantalon, se glissait derrière le rideau. Elle avait la minceur de Sarah, son air audacieux. Elle était surexcitée et ses yeux brillaient d'un éclat anormal, comme ceux des consommateurs d'amphétamines. Dès que j'entrais, elle commençait à tourner autour de moi et à m'étourdir par ses tutoiements trop familiers, elle m'entraînait vers l'arrière et drapait sur elle des chemises en levant les bras pour mieux dégager la taille, riant carrément de moi. Un jour, je me suis interdit d'y remettre les pieds, et j'ai tenu ma promesse.

Pour mettre un mot sur mes sentiments, un doigt sur le bobo, j'ai fini par me dire que j'étais amoureux. J'avais aimé Sarah au premier regard. Ça devait être ça. Mais je ne parvenais pas à me convaincre. Ce qu'on appelle être « amoureux » n'est pas dans ma nature. Je n'ai jamais eu de véritable aventure amoureuse. Aventure veut dire aller vers l'inconnu, et je n'ai jamais éprouvé le désir d'aller vers l'inconnu, de séduire ou de conquérir quiconque. Les choses ne se passent pas pour moi de cette manière ni dans ces termes. Ce qui ne signifie pas que je n'aime pas. Je sais aimer. Mais à cette époque, je n'en étais plus sûr.

Je restais paralysé, muet et prudent derrière mon masque professionnel, évitant la flamme moqueuse dans les yeux de Sarah.

À plusieurs reprises durant cet été-là pourtant, j'en reste convaincu, le regard de Sarah s'est arrêté sur moi d'une autre façon. Elle voulait s'expliquer. Dire qui elle était, ce qu'elle était venue faire chez moi. Elle allait me livrer son secret. Un message, une vérité brûlait de se délivrer. J'en ai été, plus d'une fois, absolument certain.

Et j'avais raison. Sarah était en effet venue pour une raison précise. Mais, retranché dans l'attitude neutre qui avait été la mienne depuis vingt ans, et dont j'avais même oublié que c'était une « attitude », une composition de ma part, je n'ai pas suscité ces explications qui auraient pu changer, faire dévier superficiellement le cours des choses, et les explications ne sont pas sorties de la bouche de Sarah !

Car parler c'est accepter, laisser entrer dans son cœur. Et elle ne le pouvait pas. La parole, la capacité de communiquer par l'intermédiaire de la parole, est aussi un bien qui se transmet. Et Sarah n'a pas plus appris à dire clairement des choses élémentaires qu'à boire du lait, à se laver les dents et tout ce qu'un enfant apprend de sa mère en bas âge.

Pourtant, entre nous, dans le silence même, quelque chose passait. Un message diffus, un chuchotement irréel. Entre elle, qui aurait pu être ma fille, étendue droite sur la chaise, et moi, penché sur sa bouche ouverte, il n'y a jamais eu que ce silence lourd. Ainsi, je le comprends maintenant, j'étais insensiblement déporté, ou reporté, vers l'écrit. Vers le murmure diffus de l'écrit. Vers le noir et blanc exsangue de l'écrit. Vers l'implosion d'énergie de ces petits signes. Elle avait ouvert une brèche que rien ne peut combler, d'où s'écoule le fiel noir de l'écriture. Mais de cela, j'étais loin de me rendre compte encore.

Les rendez-vous sont peu à peu devenus moins urgents, moins nécessaires, puis la fin du traitement est arrivée. C'était un jour torride du début de septembre.

Au moment de me quitter, Sarah m'a regardé en face et elle a dit : «Contente de t'avoir connu, Santerre.» Sa voix a flanché, elle a baissé les yeux. Elle venait de dire «tu», et peut-être de s'adresser directement à moi pour la première fois. Le ton était différent, laissait entendre quelque chose de nouveau, et j'ai subitement douté de tout. Les traitements, les quatre derniers mois se sont effacés. J'ai pensé un instant que je l'avais vue «avant». Je la connaissais, elle me connaissait.

Elle a répété : «Docteur Luc Santerre.»

Il y avait de la hargne, de l'arrogance dans sa façon de prononcer mon nom. Un ton vengeur. Elle exagérait le roulement des *r*. Docteurrr Santerrrre. Prononcé à l'anglaise. Je reconnaissais presque, à ce moment, ce français à peine teinté par la prononciation anglaise, désagréable, qu'on entend si souvent à TMR. Elle voulait rire de moi ? Pourquoi ? Je ne comprenais pas ce qui se passait.

J'ai fait celui qui ne remarque rien. Il m'arrive souvent de faire le contraire de ce que me dicte mon envie. J'ai eu un geste vers elle. Je me suis avancé et j'ai fait une sorte d'accolade d'adieu. Mais autant dire que je n'ai aucun sens du geste. J'ai dû être maladroit, déplacé. En un instant, tout a changé. Elle s'est mise à crier, à hurler. «Vieux con ! lâche-moi !», quelque chose comme ça, et elle s'est sauvée en courant.

J'ai été insulté pour toujours. Giflé, balafré. J'étais atteint en profondeur. Une douleur sans proportion avec le stimulus. J'ai compris plus tard que ce crachat à la figure, c'était la roue des générations qui venait de tourner. J'étais vieux. Cette enfant avait l'âge d'être ma fille. Elle riait de moi. Elle avait raison. Un pauvre type. Un vieux dentiste crispé. Dentiste. Dentistdentistdentist.

Elle a dû traverser le boulevard vide, attendre dans l'abri l'autobus rare et lent qui traverse le désert de TMR. Le lendemain, j'ai voulu m'excuser. M'expliquer, lui parler. Au numéro de téléphone inscrit sur le dossier, il y avait un répondeur poussif où j'ai reconnu la voix rauque de Sarah et noté, encore, ce léger accent anglais, ce déplacement de l'accent tonique, caractéristiques de sa mère et de sa grand-mère. Mais je n'ai pas fait le lien. Ni avec le sang. Ni avec la voix, ni avec l'accent.

Si j'avais deviné qui était Sarah, je ne me serais pas glissé, peut-être, dans la période de crise qui a suivi. Je n'aurais pas entrepris ce que j'appelle ma démarche du crabe. Je n'aurais pas fait la découverte dont je retrace ici les étapes. Et pourtant. Il y a quelque chose d'essentiel et de nécessaire, j'imagine, quelque chose d'inévitable dans ce genre de découverte et, tôt ou tard, j'aurais été rattrapé.

«Vous êtes bien au numéro que vous venez de composer. On ne veut parler à personne. Surtout pas à vous.» Des insultes, *recto tono*. Puis la communication s'interrompait sans laisser le temps habituel pour un message. Par la suite le service a cessé. Il y avait un nouvel abonné à ce numéro. Et je me suis demandé comment faire pour retrouver Sarah Rock. Sans me l'avouer, j'ai commencé à attendre son retour. J'étais certain, à ce moment-là, que je la reverrais.

Mais il n'y avait pas de raison. Et je ne l'ai jamais revue. Il y a des gens qu'on ne revoit pas. Ils passent, ils nous marquent, ils nous blessent impunément, ils s'en vont. Ils ont gagné. Ils sont l'infidélité même. Ils sont la liberté même. La jeunesse tire et se sauve. Elle ne revient pas. Sarah était la jeunesse. On ne l'atteint pas, elle nous échappe, on ne la possède pas. La jeunesse ne veut rien entendre. La jeunesse est devant, elle se fiche de ceux qui sont derrière. Je me suis fiché, moi aussi, de ceux qui étaient derrière moi, en mon temps. J'ai cru les semer. Et ils m'ont rattrapé. J'espère rattraper Sarah. Elle ne se fichait pas de moi. La preuve allait venir plus tard. Je ne la reverrai pas. Je resterai à jamais sur ma faim. Je ne peux que lui écrire. Lui écrire est un pauvre, un très pauvre substitut. Un pis-aller. Écrire supplée à l'amour sans le remplacer. Dans un monde idéal, on n'écrirait pas. Ce que j'aimais en Sarah, c'était la fugacité elle-même, mon ennemie... *Nuncius mortis...*

DOCTEUR LUC-AZADE SANTERRE

Attendre était déraisonnable. Sarah était une patiente comme une autre, partie pour toujours. Restait « moi ».

Celui que j'étais, que je ne pouvais pas ne pas être, que je n'avais jamais « voulu » être : Luc-Azade Santerre, fils, mari, père, dentiste. Quarante ans. Deux enfants. Trois, quatre vieux amis. Un « milieu de référence ». Des loisirs — golf, chasse et pêche, sports nautiques. Un compte en banque. Deux maisons. Deux autos. Famille. Épouse. « Dr Luc-Azade Santerre. »

J'étais puni, coupable, coupable de rien. D'être. De vivre. Cette identité que nous tissons fil par fil, choix par choix, sans y être forcé, censée nous aller comme un gant, cette identité s'est mise à se défaire morceau par morceau. Elle tombait comme un costume quand la pièce est finie. La crise a éclaté. Je voulais tout abandonner. Je m'étais trompé de vie. Je n'avais pas vécu jusque-là, il n'y avait plus de temps à perdre. J'allais boire des litres de whisky, fumer comme une cheminée, me défoncer les narines à la cocaïne, jouer à la bourse, parier sur les chevaux, traverser l'Atlantique en voilier, sauter en parachute, vendre TMR, chalet et clientèle, m'installer en Amérique centrale, ouvrir un restaurant, faire du deltaplane dans les Rocheuses, disparaître sans laisser d'adresse. Mais réparer des dents, non. Je ne pouvais plus faire ça.

De ce passage, seule Sarah, sans doute, pouvait m'indiquer la sortie. Cela allait prendre quelques mois seulement. Un automne, un hiver. Mais ce ne serait pas la sortie. Un autre passage, plutôt. Et ainsi de suite.

Heureusement, il y avait mon ami de collège, Yves P., professeur de littérature à l'université. Je ne le voyais pas régulièrement, mais cela ne changeait rien entre nous.

J'allais le rejoindre en ville, dans des restaurants que j'avais cessé de fréquenter depuis des lustres, ou dans des cafés à la mode où mes vêtements sans style, pantalon à pli permanent, veste de poil de chameau, me donnaient une allure déplacée dont j'étais tout à fait conscient. Bourgeois en goguette. Homme mûr à la dérive. Touriste dans une ville étrangère.

Mon ami habitait une minuscule maison ancienne près de l'université et je n'avais pas remis les pieds dans le quartier latin depuis une éternité. J'avais aimé les balcons en bois, les tourelles tarabiscotées, les toits en écaille. Mais leur charme n'opérait plus, ou plutôt il opérait à l'inverse. La

ville m'avait trahi comme je l'avais trahie ou parce
que je l'avais trahie. Maintenant, je ne la trouvais
plus belle et je ne l'aimais plus. Je n'éprouvais plus
ni attachement ni attirance pour ces petites maisons
du début du siècle, délabrées, dévastées. Je n'allais
pas bien. Quelque chose clochait.

J'observais les jeunes gens libres de leurs choix.
Je me demandais s'ils auraient eux aussi un jour
l'impression de s'être trompés de vie, d'avoir trompé
la vie. J'accusais le coup. Trop tard. Minuit avait
sonné.

Je ne peux pas dire en quoi mon ami m'aidait.
C'est un homme savant, que Nicole n'a jamais
aimé. Pour cette raison, nous nous sommes toujours
vus seul à seul. Il est snob. On ne peut pas nier
qu'il tire une fierté exagérée et puérile de sa carrière,
de ses relations, de son milieu de travail. Mais avec
moi il laisse tomber le masque. Nous parlions littérature, et je crois que c'est durant ces soirées que
j'ai commencé à ressasser une très ancienne frustra-
tion : j'aurais voulu « écrire ». J'aurais voulu faire des
lettres, de la philosophie.

S'il y avait quelqu'un pour me dissuader de me
lancer sur cette ancienne voie, c'était bien lui. Il se
plaignait que tout un chacun aujourd'hui se prend
pour un écrivain. Un écrivain n'est pas une personne comme une autre. Il ne tolérait plus la compagnie des flibustiers, des pirates de la littérature. Il
préférait la mienne.

Chemise empesée, cravate de soie, esprit de
clan. J'étais chaque fois surpris qu'il trouve son
compte dans nos longues conversations. Je ne

l'ennuyais pas. Au contraire, je le sauvais, disait-il, de la misanthropie et du cynisme. Il m'écoutait.

Je répétais ma litanie expiatoire. Ma vie était en train de se détacher de moi, comme un ongle qui se décolle et vous fait souffrir. Un bricolage qui ne tiendra pas longtemps. Un tableau comme on en conserve ici, par acquit de conscience. La collection d'art canadien du Musée des beaux-arts de Montréal. Une croûte. Les murs étaient fissurés. Je craquelais. Un jour, j'avais sorti du fond d'un lac un pot à lait en porcelaine ancienne que la seule pression de l'air avait fendillé sous mes yeux en cinq secondes. C'était exactement comme cela que je me sentais : un visage qui vieillit en accéléré, dans un film fantastique.

Depuis longtemps, Nicole buvait plus que de raison. Le niveau quotidien avait monté insensiblement et l'ivrognerie lui donnait la force d'exprimer des griefs lointains qui me rongeaient comme une bile acide. « Pas de métier. Jamais fini mon diplôme. Les enfants. Remplacer des assistantes. Boucher des trous. Trop tard. » Une loi sur le patrimoine familial venait de rétablir ses droits, mais elle s'en montrait vexée, déraisonnablement insultée. Elle avait perdu sa vie dans le mariage. Les enfants passaient à travers vous et s'en allaient après vous avoir tout pris. Je n'étais qu'un « déficient affectif ». Je ne savais pas exprimer mes sentiments, mes émotions. Je n'avais répondu à aucun de ses besoins. Besoins sexuels, tenait-elle à préciser lourdement, comme si je ne comprenais pas le français. Besoins que la tradition interdit de dévoiler et que j'aurais dû, moi l'homme, devancer et deviner au lieu de m'en tenir à ma routine sans imagination.

Je ne sais dans quelle zone tampon nous nous tenions durant ces longues soirées où je confiais à cet ami, comme si nous étions encore deux jeunes gens en âge de conjurer la magie féminine, ces accusations qui m'ébranlaient plus que je voulais l'admettre. Conversations entre hommes. Les femmes. Des insatisfaites chroniques, revanchardes. Ne plus toucher. Laisser poireauter. S'intéresser aux toutes jeunes. Si j'avais répondu à Nicole, ce n'aurait pas été avec des mots. Je l'aurais violée, madame, la nuit, réveillée au cœur de son sommeil profond pour qu'elle comprenne le besoin des hommes. Je l'aurais pénétrée sans me soucier d'obtenir sa permission, d'accord pas d'accord, prête pas prête. Je me serais servi d'elle comme d'un objet parfaitement adéquat, pour un assouvissement extrêmement précis. Je me serais vidangé en elle en grognant sans me restreindre. Les mots sortaient d'un autre moi-même. Je crois que j'ai toujours envié la vulgarité.

À d'autres moments, faire l'amour me paraissait une singerie contre nature. J'étais un pur esprit. Distrait. Il m'arrivait de plus en plus d'accidents. Des incidents. Comme de me couper en me rasant. De me fouler la cheville. J'égarais des dossiers, j'oubliais des comptes, je brûlais les feux rouges.

Je me prenais pour ce mari fameux qui s'en va acheter des cigarettes et qu'on retrouve dans les bars louches, les salons de massage, chez les strip-teaseuses. À La Calèche du sexe et autres établissements du genre, où je ne suis jamais entré.

Quand je raisonnais au grand jour, je ne me trouvais pas coupable. Je n'avais fait qu'agir comme mon père avant moi, et le sien avant lui. Je n'avais rien fait de mal. J'avais respecté mes engagements. J'avais aimé ma femme. Efficacement. J'avais des souvenirs précis, moi aussi. Nous n'avions pas toujours été si usés. Nous avions eu nos flambées. J'avais une «femme insatisfaite». Mais j'ignorais pourquoi. Qui pouvait dire lequel était le plus floué des deux? Je n'accusais personne. Nous avions été bernés par une volonté impersonnelle et sociale, comme dans une expropriation.

Un doute s'insinuait, mortel: et si je ne savais pas ce que c'est qu'aimer? Nicole avait peut-être raison. Ce mot était le gouffre dans lequel je n'étais pas tombé? Nous avions vécu en harmonie, nous avions fait équipe, mais ce n'était pas aimer? Être amoureux? Ce qui avait rendu ma mère heureuse rendait ma femme malheureuse? C'était cela vieillir? Il est si facile de mentir avec les gestes et les mots de l'amour. De se comporter à son insu en imposteur. De se leurrer soi-même, d'agir en parvenu. De se tromper de vie... Depuis l'arrivée de Sarah, cette impression d'avoir commis une erreur, une erreur de désir, inavouable et honteuse, m'accompagnait tout le temps.

Les enfants étaient partis de la maison et de toute façon ce n'étaient que des barbares. Au-dessus de leur berceau, nous avions juré qu'aucun mal ne les effleurerait jamais. Élevés dans la soie, chenilles précieuses, ils écrivaient le français et l'anglais sans faute. Ils connaissaient les mathématiques. Ils possédaient ces biens encore réservés aux riches : des notions d'histoire, de géographie, de musique. Physiquement, c'étaient des spécimens parfaits de l'humanité de race blanche. Mais ils se nourrissaient, ils sentaient, ils « pensaient » quand même en barbares. Les médias et le sport, ces mamelles de l'idiotie nord-américaine, avaient fait d'eux des gens heureux. Sans peur et sans angoisse. Je ne me retrouvais pas en eux. Purs produits de Tiemmarre. Town of Mount Royal. Ma fille étudiait les « techniques de loisirs », idolâtrait la santé, travaillait comme monitrice dans une station de ski. Son frère faisait du droit dans une université anglaise. Les fins de semaine, il animait une émission dans une station de radio célèbre par son refus de respecter les quotas de chansons en français. À entendre son accent impeccable sur les ondes, j'ai conclu que je n'avais rien transmis à mes enfants.

Je n'avais jamais voulu être dentiste. Je détestais les dents. Mon père et ma mère s'étaient rencontrés dans un hôpital, ils m'avaient vu médecin au berceau. Le temps venu, je n'avais pas osé dire que je préférais le latin, les langues, les lettres. La philosophie, ma passion. Ils savaient à peine lire et écrire. Pour m'en sortir, j'avais opté pour la chirurgie dentaire, le plus cher des programmes universitaires. Mais je ne voulais plus faire ça.

Dans la trentaine, je m'étais passionné pour la

politique, j'avais épousé le rêve de liberté de la
«petite nation française d'Amérique». Maintenant,
ce «peuple» fondait, se désagrégeait. Ne restait que
le nom. Et encore. Certains esprits forts allaient jusqu'à soutenir que cette population, sans désignation
stable au cours de la centaine d'années de ce que
nous appelions son histoire, n'était qu'une vue de
l'esprit. On pouvait toujours essayer de ranimer la
flamme, on soufflerait sur des braises. Je faisais partie d'une colonie de moustiques sans pertinence his-
torique. Tout être humain pense un jour avoir rêvé
qu'il vivait. Mais un groupe humain? Les mots
étaient restés, mais la réalité s'était corrodée. Il n'y
avait plus rien derrière les slogans. Plus d'unité, plus
d'expérience commune. Des individus atomisés,
plus ou moins déboussolés. Des familles comme la
mienne.

Je dormais maintenant dans la chambre de ma
fille, dans un vaste lit à baldaquin rose. Nicole passait ses nuits devant la télé, une bouteille de Bor-
deaux rouge à ses côtés. Quand je me levais, elle se
couchait. Elle ne faisait plus à manger, ne rangeait
plus la vaisselle, marinait des heures dans des bains
d'algues, ne tirait plus la chasse d'eau. Une amie
que je ne lui connaissais pas, une petite noiraude à
l'air endurci, l'emmena chez «la» psychiatre.

Un soir, ma femme m'a regardé en face et m'a
dit doucement, sans la moindre agressivité: «Mais
tu ne m'as jamais aimée, Luc. J'ai pensé que tu
m'aimais. Tu l'as probablement pensé, toi aussi.

Nous avons pensé que nous nous aimions. Pourtant, quelque part — et je déteste cette expression —, quelque part quelque chose manquait. » Je ne savais pas encore pourquoi, de mon côté de la barre, je lui donnais raison. « Quelque chose », entre nous, avait manqué. Nous avions commis une erreur.

Les explications allaient bientôt venir à moi, me mettre sur une piste. Ce « quelque chose », j'allais le chercher sans le chercher, le trouver sans le trouver, découvrir que ça ne tenait pas à moi, que ça remontait aux morts qui m'ont formé avant ma naissance, avant que je prenne ce corps qui cerne mon « moi ». Oui, « quelque chose » m'a été transmis, qui explique tout. Une simple formule de chimie organique, peut-être, expliquerait tout... Est-ce la mort ou la vie qui m'a appelé sur la piste du passé ? À certains moments, ces deux-là forment un duo si parfait, si enchanteur, qu'on ne peut pas plus les distinguer que les tiges entortillées de deux clématites.

J'errais dans les rues, autour du quartier où j'imaginais que le hasard pouvait me faire rencontrer Sarah. À l'adresse qu'elle avait donnée, le concierge, un Grec à l'air buté, m'a fait comprendre que jamais aucune personne correspondant à Sarah n'avait habité son édifice qui abritait des bureaux et, au rez-de-chaussée, un billard et un lave-auto tenu par des Arabes dont j'ai supposé, sans aucune raison, qu'ils étaient de ces intégristes haineux qui veulent notre peau.

Me manquait le point de départ. Sarah allait me le fournir. Bientôt. Puis ce seraient des méandres sans but apparent. Des traces conduisant à d'autres traces. Des traces qui surgissent, pleines de sens. Des pistes dans la forêt, qui ne nous concernent pas, mènent à nous-mêmes pourtant, et s'arrêtent, repartent, vont vers les autres, la forêt des autres qui ont vécu avant nous. Nous faisons partie des autres et notre identité germe et se dissout dans celle des autres.

Une piste. Rien de droit, rien de clair, rien de continu. Au hasard. Ou à la fatalité. Comme on veut. Comme du vent.

Le décor que je m'étais choisi me semblait de jour en jour plus insignifiant, vide et faux. TMR. Tiemmarre. Des jardins fleuris de plantes annuelles aux teintes artificielles, un centre commercial aux allures d'aérogare, des rues désertes. Je ne m'étais jamais intéressé à ces parterres, à ces jets d'eau, à ces rocailles et ornementations prétentieuses. J'avais abouti à TMR parce que c'est dans des endroits comme TMR qu'un dentiste vit. Parce que ces décors nouveau riche auraient impressionné mon père. Seuls la roseraie, une cabine téléphonique londonienne, le boulingrin, les Anglaises à cheveux blancs, les Anglais à casquettes étaient ici un peu «vrais». Les Libanais, les Arméniens, les Vietnamiens du Sud qui avaient réussi à s'échapper avec de confortables fortunes de pays à feu et à sang

n'étaient pas venus par accident s'établir dans le
«havre canadien». Mais moi, échouer ici !

À cette époque, j'ai fait paraître une annonce
dans les journaux pour demander à Mlle Sarah Rock
de communiquer avec le Dr Luc-Azade Santerre.
Du délire. Quand j'ai vu mon numéro de téléphone
imprimé, j'ai eu honte. J'ai eu peur de moi-même.
Je m'étais trompé de vie. Que faire ?
Courir après les jeunes filles ? Embêter les jeunes
femmes, «baiser» avec mes patientes comme mon
ami Yves avec ses élèves désemparées ? Comme tous
ces collègues que je méprise, qui ne respectent rien,
rabaissent tout, baisent avec des secrétaires écerve-
lées, avec des assistantes analphabètes ? S'en van-
tent à l'heure du lunch? Non. Je ne suis pas comme
cela non plus. Je n'ai aucune aptitude pour le libertinage et le cynisme. Si le libertinage est un stade
de l'évolution masculine, je suis et resterai à jamais
un attardé sentimental. Il n'empêche que je ne
m'étais pas trompé. C'était bel et bien Éros qui
s'était manifesté en Sarah et qui, jusqu'à ce moment-là, menait la lutte.

Fin décembre, ma mère est morte. Elle est morte
«naturellement», comme elle avait vécu, me
semblait-il. Elle avait perdu la mémoire des mots
puis, par pans entiers, celle des événements et des
gestes appris, mais ce n'était pas la fameuse maladie
d'Alzheimer. Un accident cérébral lui avait enlevé

l'usage de la parole et elle avait cessé de me reconnaître, du moins je le pense.

Elle est morte pendant la nuit. J'ai assisté à sa fin avec soulagement. Pas de drame, pas d'angoisse. Elle respirait avec difficulté, droite, rigide, les bras allongés sur le lit incliné. Encore belle. Ses traits restaient purs même dans l'agonie. De profil, je voyais son long nez se pincer. Tout son souffle passait par la bouche, puis les respirations se sont espacées, de plus en plus rauques, venant de plus loin, pendant que la mort sculptait lentement son visage, raidissait son corps. Je sentais la présence de la mort qui descendait peu à peu dans la chambre et j'étais sans révolte, incapable de me rendre compte de ce qui se produisait sous mes yeux, d'en sentir le mystère. J'assistais à une manifestation naturelle. Une mère doit mourir. En un sens je tenais à distance, par cette mort, l'éventualité de la mienne. J'en avais pour longtemps encore.

La paix et le calme de la nature enveloppaient ma mère pour la coucher dans un champ. Une dernière respiration semblable aux autres. Une porte qui se ferme doucement. L'ordre des choses. Ma mère m'avait toujours paru s'insérer harmonieusement dans l'ordre des choses. Et j'allais comprendre après coup à quel point sa vie humble et anonyme avait été au contraire bâtie artificiellement de toutes pièces sur le vide, comme les polders en Hollande. On ne connaît pas les autres.

Elle a été exposée un soir seulement. Il y avait

du verglas. Des routes, des autoroutes étaient fermées. Des amis, des amis des enfants sont venus malgré tout. Des cousins. *Santerre, Blanche. Laisse dans le deuil son fils, Dr Luc-Azade, chirurgien dentiste (Nicole Dubé). Deux petits-enfants: Frédéric et Ève-Marie Dubé-Santerre. De nombreux beaux-frères et belles-sœurs.* Elle n'avait pas indiqué ses volontés et j'ai pris la décision de faire incinérer son corps puisque telle est la façon rationnelle de procéder quand on ne croit pas à la vie après la mort. J'aimais ma mère. Je n'avais pas le moindre ressentiment à son égard. Entre nous, les choses étaient limpides et immédiates. En apparence, la mort était simple.

En apparence, Nicole allait mieux. Le temps avait simplement solidifié notre jeunesse dans le moule du mariage et de la famille. Et tous les moules craquent un jour ou l'autre.

En janvier, j'ai accepté une invitation à un congrès à Berne, pour oublier le pays où je vivais, me rattacher au reste de l'humanité, m'obliger à croire que la vie n'est pas que du temps qui stagne. Je voulais passer deux semaines dans les musées.

Je n'étais pas allé en Europe depuis longtemps et le voyage a mal tourné. Le sens de la séduction et de la beauté qui se saisit de vous dès que vous sortez de l'avion, au premier affichage, au premier trajet en métro, et qui contraste si fort avec le monde de l'Atlantique Nord d'où vous émergez endormi au petit matin, ce génie et cette liberté de l'Europe, impossibles à acquérir, augmentaient la névralgie au lieu de l'apaiser, me donnaient la nostalgie de ce que je n'aurais jamais. Chaque statue, chaque jardin, chaque femme, chaque odeur de café, de crème fraîche, d'alcool, me rappelait que je venais d'une autre planète. La Régence, les libertins, les Lumières, la Révolution française : je m'intéressais depuis longtemps au XVIIIe siècle, et je me rendais compte qu'il s'agissait là, justement, d'une aventure dont j'avais été exclu longtemps avant ma naissance. Un soir, assis devant un filet de sole meunière, boulevard Saint-Germain, j'ai laissé là le muscadet, la salle à manger Belle Époque, et j'ai décidé de rentrer d'urgence. Je me suis promis de ne plus jamais revenir en Europe. Pour avancer la date de mon retour, j'ai payé une somme insensée à Air Canada. En attendant de repartir, j'arpentais les Tuileries en orphelin. Quelque chose clochait.

Mon père et ma mère étaient morts, mes enfants ne m'appartenaient plus, ma femme n'était plus soudée à moi par aucune sensibilité, j'étais un étranger à Paris, à Florence et à Londres comme je le serais à New York, à Mexico parmi les citadins ayant en eux cet héritage de l'Europe dont les paysans déguisés tels que moi se sont malencontreusement écartés. Il n'y avait aucune autre issue que de rentrer chez moi et de continuer. Aller à la pêche, à la chasse à l'orignal, jouer au golf.

Ma vie me deviendrait bientôt aussi étrangère

qu'une écharde qu'on voit et qu'on ne sent plus. Comme avant. Avant Sarah.

Tout ce que j'avais appris, bâti, décidé en pesant le pour et le contre, mes idées, mes rêves, tout cela m'avait quitté, tombant comme les écailles d'un animal qui mue. Je faisais une dépression. Je craquais. La dépression est une façon particulièrement bien adaptée qu'a la mort de débusquer son gibier, de le cerner, de se le préparer.

Et quand j'ai été dépouillé, vide, déboussolé, nu comme un ver de terre, Sarah a repris contact avec moi.

MICHELLE

S arah était l'affluent qui descend de la montagne, le cours d'eau dont la voix vous enchante et qui bientôt se confond avec le fleuve...

Un jour, sur le carrelage de tuiles italiennes résultant d'une quelconque rage de consommation, une enveloppe est tombée, adressée à la main à l'encre noire. Parmi les circulaires, les dépliants, le faux courrier qu'on ouvre le cœur plein d'espoir et qui ne révèle toujours que le vide, cette enveloppe de papier recyclé se distinguait des autres par la calligraphie, par le tracé épais, maladroit, manuel, de mon nom écrit en entier. Le z de ce prénom qui me vient d'un oncle missionnaire était séparé du reste, comme un éclair, un avertissement. Cet envoi personnel ne pouvait concerner qu'un événement de nature périmée. Décès, mariage, fiançailles.

Il n'y avait pas d'adresse de retour mais la lettre était estampillée du Japon. Et je ne connaissais rien ni personne au Japon.

La première page était du même papier, écrite

avec la même plume large, en lettres détachées, laborieuses, presque enfantines:

Docteur Santerre,

J'ai quelque chose à te dire je suis la fille de Michelle je regrette de ne pas te l'avoir dit Ma mère t'a choisi comme exécuteur testamentaire je voulais savoir si tu connaissais mon père ça ne fait rien Tu n'as pas besoin de t'inquiéter Je pars en moto à Vancouver je vais au Japon apprendre la danse et tout va vraiment bien.

Sarah

P.-S. Je n'ai plus mal aux dents

SR (sans rancune)

P.-S. J'aurais aimé que tu sois mon papa

Une deuxième feuille était pliée avec la première: une vieille photocopie faite sur du papier épais, aux bords qui roulaient. J'ai reconnu tout de suite l'écriture penchée vers la gauche, les pattes de mouche de mon amie Michelle, les hampes couchées, les T comme des mâts de voilier en perdition au milieu de la page...

À l'attention du notaire Dubuc à La Malbaie Quand je serai morte, je veux qu'on prenne contact avec mon ami d'enfance, Luc-Azade Santerre, dentiste à Ville Mont-Royal, et qu'on lui demande de régler mes affaires. Il va comprendre ce qu'il me doit.

Michelle Roche - Novembre 1970.

Je ne savais pas que Michelle Roche avait une fille. Je ne comprenais pas pourquoi elle m'avait désigné pour régler ses affaires, et encore moins ce que j'aurais pu lui devoir. Michelle a toujours eu tendance à dramatiser et je me méfiais depuis longtemps de ce qui pouvait me venir d'elle. Mais j'étais sûr d'une chose : elle n'était pas morte en 1970. Elle s'était mariée, il y avait deux ou trois ans. J'avais vu le faire-part dans la *Gazette* et reconnu son visage sur la photo, les cheveux complètement gris.

Le contenu principal de l'enveloppe consistait en un texte plus long, imprimé à l'ordinateur, plein de fautes de frappe, d'orthographe et de grammaire, mais donnant malgré tout une forte impression de lucidité. Ces pages étaient restées attachées les unes aux autres : comme si Sarah n'avait pas voulu se relire. Comme si elle avait résolument mis le tout dans l'enveloppe en s'interdisant de revenir sur sa décision. Mais je n'ai aucun moyen de vérifier ma supposition. Avec l'ordinateur, on ne peut savoir s'il s'agit du premier jet d'une personne qui se vide le cœur ou de la énième version d'un texte qui perd de vue, au fur et à mesure, son origine et son but.

Quoi qu'il en soit, ces messages, ce jour-là, m'ont surpris sans défense. Vrais ou faux, authentiques ou non, les mots avaient le pouvoir de faire dévier ma trajectoire, et ils ont réorienté l'usage du temps qu'il me restait à vivre. Je ne soupçonnais pas, à ce moment, que ce temps serait si court.

Voici en résumé comment, dans son indescriptible langage, Sarah expliquait les raisons et les circonstances qui l'avaient amenée chez moi.

Elle était née le 20 avril 1968. En 1970, quand sa mère avait écrit ce mot au notaire de La Malbaie, Sarah n'avait donc que deux ans. Elle ne savait pas pourquoi sa mère avait eu si peur de mourir à ce moment-là de son existence. Elle était trop jeune pour se rappeler quoi que ce soit et Michelle ne pouvait ou ne voulait rien lui dire. Jusqu'à tout récemment, d'ailleurs, Sarah ignorait l'existence de ce notaire, de ce billet, et la mienne.

En 1970, Sarah et sa mère vivaient dans une «commune». Elle se souvenait des mots «coopérative autogérée de culture du tabac» écrits au pochoir sur une boîte aux lettres. Mais elle ne savait pas où se situait cet endroit exactement. Probablement dans les Laurentides.

Enceinte d'elle, sa mère travaillait comme serveuse dans un café étudiant et elle avait rencontré un type qui se faisait appeler Sigmund, ou quelque chose du genre. Ce Sigmund était selon Sarah le mentor, le patriarche de la commune. En 1970, Michelle et lui s'étaient rendus à Cuba. Peut-être en vacances, peut-être pour des raisons plus «sérieuses», disait Sarah. Cet homme parlait couramment l'espagnol et plusieurs autres langues.

Il y avait en tout une quinzaine d'adultes, surtout des femmes, dans cette ferme, et huit enfants
laissés à eux-mêmes, n'allant pas à l'école. Le
paradis. Les adultes faisaient la classe tour à tour.
Sarah semblait avoir gardé un bon souvenir de ces
années. Mais elle ne savait pas ce qu'étaient devenus ses anciens amis.

Un soir, en effet, après une dispute, sa mère
avait plié bagage. Sigmund les avait ramenées à
Montréal et déposées chez sa sœur, quelque part
dans un quartier chic, Westmount sans doute.
C'était un soir de tempête de neige. Le camion sentait la bouse de vache, le système de chauffage était
brisé. Ensuite, sa mère avait été très malade. Sarah
avait à ce moment-là une dizaine d'années.

Elle me racontait ces choses pour me faire comprendre que, pendant toute cette période dans la
commune, elle avait vécu entourée d'adultes qui
disaient et enseignaient qu'un père ou un autre, une
mère ou une autre, cela ne faisait aucune différence.
Les enfants étaient «élevés par tout le monde à la
fois, comme dans les kibboutz», et plusieurs amies
de sa mère se faisaient «faire un enfant sans père».
Aucun enfant ne connaissait l'identité de ses deux
parents. De cette façon, les «liens aliénants» de la
«famille-noyau» étaient tués à la base et une
nouvelle humanité pouvait naître. (Sarah se
moquait-elle ou répétait-elle des mots dont elle ne
comprenait pas encore le sens aujourd'hui? Avec
elle, avec sa mère, avec sa grand-mère, c'est toujours
la même chose. On ne peut pas savoir. Leurs
manières sont parfaitement inextricables.)

Le jour où Sarah est devenue une femme, sa mère a ajouté quelques détails au roman de sa naissance : désirant follement un enfant de l'homme qui était son père, elle savait très bien, le jour où Sarah avait été conçue, que ses chances de devenir enceinte étaient grandes. Mais cet homme ne voulait pas de descendants. Quand il avait appris qu'il allait être père, il avait fait jurer à Michelle, sous peine de mort, de ne jamais dévoiler son nom à cet enfant, de ne jamais chercher à le revoir ni à lui donner des nouvelles du bébé qui allait naître ou ne pas naître. Elle avait respecté sa volonté, d'autant mieux, peut-on croire, qu'elle avait, comme toujours, su trouver les gens qu'il lui fallait. Telle que je la connaissais, je n'avais pas de difficulté à croire que Michelle s'était sincèrement convaincue qu'un homme ou un autre, un père ou un autre, cela ne change rien. « L'homme est un instrument et c'est la femme qui donne la vie », écrit Sarah. Une partie d'elle-même croyait encore, croirait toujours à ces enseignements reçus en bas âge. C'est du moins ce que j'ai perçu à la lecture. Il faut, pour extirper de soi les grands dogmes qui ont structuré notre pensée naissante, un travail considérable que Sarah n'a certainement pas été amenée à entreprendre.

Plus récemment, quand Michelle s'était mariée, elle avait remis à sa fille des documents concernant son enfance : sa déclaration de naissance à l'hôpital Sainte-Justine, un carnet de santé inutilisé, une boucle de cheveux de bébé, des photos. C'est ainsi que Sarah est tombée sur ce mot inattendu et sur le nom de quelqu'un dont elle n'avait jamais entendu parler : le Dr Luc-Azade Santerre, dentiste à Ville Mont-Royal.

Elle a interrogé sa mère. Michelle aurait alors insisté pour dire que j'étais un ami d'enfance et rien d'autre. Mais elle affirmait avoir oublié l'existence de ce papier. Elle ne se souvenait pas du moment où elle l'avait rédigé ni des événements qui avaient pu l'amener à écrire ces lignes. C'était son écriture, oui, mais elle ne se rappelait rien. Sarah pensait que sa mère était toujours «saoule ou high ou stone» quand elle était petite. Depuis son mariage, elle était devenue une tout autre femme, et elle n'avait plus voulu revenir sur cette période.

Le voyage à Cuba avait eu lieu à l'automne 1970. Devant s'éloigner, craignant, pour de bonnes ou de mauvaises raisons, de laisser sa fille orpheline, Michelle avait écrit ce billet : c'était l'interprétation de Sarah. «Ma mère s'est toujours occupée de moi comme il faut.» Il est facile de comprendre que Sarah se soit quand même demandé si j'étais l'homme qui ne voulait pas que son enfant sache son nom, ou si je connaissais cet homme.

Elle est venue tourner autour de ma maison. Elle a passé des heures assise sur le banc de l'arrêt d'autobus à m'observer dans mon solarium. Elle a imaginé qu'elle se glissait par la fenêtre qui donne dans le jardin. Un jeu d'enfant, disait-elle, puisque je n'ai pas de système d'alarme.

Un jour, elle s'est décidée à sonner. Elle n'avait jamais mis les pieds chez un dentiste. Sa mère se méfiait des dentistes, des vaccins et des médicaments, instruments du complot de la «médecine officielle» contre l'humanité.

Elle a sonné chez moi avec l'intention de se présenter, de me demander si je savais qui était son père. Mais il y a eu cette réaction imprévisible. Elle a saigné du nez, perdu ses moyens, et elle n'a plus été capable de prononcer les mots qu'elle avait préparés. Quelque chose l'en empêchait.

Chaque fois qu'elle entrait dans mon bureau, elle se mettait au défi, et chaque fois elle reculait comme si sa mère était là, derrière, qui lui ordonnait de se taire «sous peine de mort»...

Tout compte fait, disait-elle à la fin, elle était «soulagée en un sens» de s'être tue. Elle avait peut-être échappé à une «sorte de danger». Elle me connaissait suffisamment pour être sûre que je n'étais pas l'homme qui ne voulait pas que son enfant sache son nom.

Elle me remerciait. Elle n'avait plus mal aux dents. Elle ne se trouvait pas «correcte» d'avoir caché qui elle était, et elle me demandait de ne pas lui en vouloir.

Elle avait fait la connaissance de deux Japonais venus apprendre l'anglais à Montréal. Ils retournaient chez eux en traversant le Canada. Ils l'avaient invitée et elle n'avait pas l'intention de revenir de si tôt.

Elle terminait en répétant: «J'aurais aimé que tu sois mon papa.» Et ces mots, ces mots, disons, appelaient une réponse.

J'ai évidemment relu plusieurs fois ces missives. J'avais l'impression que les mots me bernaient ou du moins qu'ils ne recouvraient que fort mal la réalité. Au contraire, ils créaient une réalité. Ils avaient le pouvoir d'agir «réellement». Ils étaient entrés en moi pour toujours, et la réalité en était changée pour toujours. J'avais été saisi à revers. Sarah était la fille de Michelle. Michelle était revenue dans ma vie. La curiosité m'avait eu. Ce que je venais d'apprendre m'avait instantanément transformé. Dans la lettre de la fille, j'entendais l'écho de la mère. L'énigme venait de reculer d'un cran. Un nœud était atteint : le rhizome principal, une souche plus profonde.

Sarah était la fille de Michelle Roche. On ne peut pas inventer ce genre de choses. Michelle Roche était la fille de Rose, la meilleure amie de ma mère. Son amie d'enfance, la seule que je lui ai jamais connue. Mes parents n'avaient pas de réseau d'amis, comme on dit maintenant. Ils fréquentaient exclusivement la famille, les nombreux frères et sœurs de mon père, leurs femmes, leurs maris.

La lettre était entrée en moi comme un ver dans une pomme et je ne pourrais pas m'en débarrasser. Le fumeur qui reprend une bouffée après des années d'abstinence trouve un malsain plaisir dans sa nausée elle-même. Je me réintoxiquais. Michelle Roche a toujours eu la fonction de me ramener à moi-même. J'essayais de me rappeler quand je lui avais parlé pour la dernière fois. Ce n'était pas un hasard de la voir surgir sans prévenir au moment où je me sentais couler à pic.

Elle n'était pas morte en 1970. Ce document était certainement périmé. Mais quand même. Ces révélations intempestives étaient plus puissantes que le raisonnement. Elles remuaient les tréfonds de ma conscience et je ne maîtrisais pas l'effet qu'elles produisaient. En d'autres termes, j'étais déjà rentré dans le sable mou du passé, quel qu'il soit.

En 1979, à la fin du mois de mai, les Canadiens ont gagné la coupe Stanley. Ce soir-là, j'ai reçu un coup de fil de Michelle Roche. Elle devait être dans un bar, un endroit public : j'avais de la difficulté à l'entendre. La télé hurlait et j'allais rater le but gagnant. Michelle voulait savoir si j'avais gardé le négatif d'une photo de groupe que nous avions prise, un soir, au pavillon de Cuba de l'Exposition universelle de Montréal. La réponse était non. Nous n'avions rien à nous dire et j'ai fait en sorte que la conversation ne s'éternise pas. Nicole connaissait à peine l'existence de Michelle et je n'avais pas envie de lui parler d'elle. J'ai raccroché et je me suis arrangé pour ne pas repenser à cet appel. Tout ce qui évoquait Michelle était désagréable et angoissant et j'ai vite éliminé de ma conscience ce coup de fil sans conséquence.

Je ne crois pas au destin. Pourtant, ma mère et celle de Michelle se sont mariées le même mois. Elles ont accouché le même jour, Rose à Québec, ma mère à Montréal. À cause de ce hasard, Michelle a tout de suite été considérée comme ma « jumelle ». Mon arrivée dans le monde n'a pas été

« simple », au sens botanique du terme si on veut. J'ai déjà consacré beaucoup d'énergie à éjecter Michelle Roche de ma vie, mais il se trouve que j'ai été jumelé, bouturé à elle. Ma naissance a été éclipsée par l'accouchement dramatique et spectaculaire de l'amie de ma mère. Dans les limbes de l'utérus, j'ai été arbitrairement accouplé à cette petite fille. Bien avant notre existence séparée, singulière, ma vie m'a été volée par elle. De là m'est peut-être venue l'impression intermittente, récurrente, de n'avoir pas le droit de vivre. De m'être trompé de vie. Nous nous sommes rencontrés avant de naître et dès le début Michelle a eu le pouvoir d'infirmer ma légitimité, de me barrer la route de ma propre vie. Pourquoi ? Je ne sais pas. Je ne sais pas.

La bile remontait, rance comme le goût de l'huile de foie de morue que nos mères nous faisaient avaler. Nos mères.

Peu de temps après « notre » naissance, ma mère a été appelée de Québec par le mari de Rose, Adrien Roche. Rose ne voulait pas s'occuper de sa fille. Elle ne voulait plus jamais avoir d'enfant. Son mari menaçait de faire annuler leur mariage à Rome. Un orage d'hormones s'était abattu sur Rose. Ma mère a décrété que son devoir l'appelait au secours de son amie. Rien n'a pu l'empêcher de partir pour Québec, avec moi, le lendemain de mon baptême.

Nous avons ramené la mère et la fille à Montréal. Ma mère a placé un berceau à côté du mien et elle a « adopté » Michelle jusqu'à ce que Rose puisse prendre la relève. Pour des raisons gardées sous verrou, ni ma mère ni Rose n'ont eu d'autre enfant. Par conséquent, j'ai continué à jouer auprès de Michelle le rôle de frère-substitut, et elle a été ma sœur-substitut. Chaque année, pour notre anniversaire commun, nous allions à Québec souffler ensemble les bougies de notre unique gâteau, poser pour une photo commune. Ainsi s'est solidifiée cette relation fortuite en comparaison de laquelle le reste de ma vie prend aujourd'hui consistance de rêve, de chimère, de bataille contre des moulins à vent.

Beaucoup plus tard, Michelle est venue habiter chez nous tout un été, durant l'Exposition universelle. Et pendant cet été-là, elle est devenue plus que ma sœur. Mais pas tout à fait ce qu'on appelle « un amour ». Un étrange amour, disons.

On n'oublie pas, on ne se pardonne jamais une erreur de désir. Après cet été-là, j'ai rompu avec Michelle. J'ai tranché à la hache les liens qui nous rattachaient. Mais c'étaient des liens alambiqués, des liens vivants qui vieillissaient avec moi, et l'éradication ne serait jamais définitive.

Rose. Michelle. Sarah. Des générations gigognes. Les mots se gravaient en moi, transformaient le désordre créé par Sarah en un ordre nouveau. En amont de Sarah, sa mère, sa grand-mère éclairaient maintenant le petit personnage qui m'avait tant troublé, comme un projecteur s'allume tout à coup à l'arrière-scène pour dissoudre les acteurs dans un halo, les métamorphoser en silhouettes, en hypothèses. L'image de Sarah s'élimait à toute vitesse, perdait ses contours en fusionnant avec celle de sa mère, de sa grand-mère, en se replaçant dans leur sillage, en se rangeant sous leur bannière. Ses traits, son mystère, toute l'énigme de Sarah se banalisait avec cette explication. Leur façon de glisser sur la vie comme des cygnes hautains. Leur manière oblique, indirecte, de procéder avec les autres. Rose, Michelle, Sarah: avec elles, une chose telle que la vérité n'existait pas. C'étaient des femmes-personnages, des fabulatrices, des inventrices, excellentes dans l'art de confondre la proie et l'ombre. *Errare humanum est.* Se tromper de désir, comme si le désir était une antenne, un instrument de connaissance: par deux fois j'avais éprouvé cet inconfort singulier. Avec la mère, puis avec la fille. Les deux vous donnaient le sentiment de commettre une bévue, un faux pas, de trébucher.

Ces mots que je puis écrire maintenant, je n'aurais pu les expliquer alors, ni comprendre ce qu'ils pouvaient *vouloir* dire. Je m'étais cru amoureux! Mais c'était un piège. Sarah était une messagère. Je ne pouvais ni ne voulais renoncer à saisir la clé qu'elle m'avait envoyée.

J'avançais à tâtons. Mme Michelle Roche avait daigné penser à son «ami d'enfance» en 1970. Trop facile. «Quand je serai morte.» Elle n'était pas morte. Elle s'était mariée avec un certain major Allen, à Kingston, en Ontario.

« Il va comprendre ce qu'il me doit. » Il avait
dû se passer quelque chose de grave en 1970 dans
la vie de Michelle. Quelque chose dont elle ne
voulait pas parler à Sarah ou qu'elle ne voulait pas
lui avouer. Typique.

En 1970, ma mère avait eu cinquante ans. Mon
père était mort depuis quelques années, et une de
ses sœurs s'était crue obligée d'organiser une fête
pour sa belle-sœur. Ma mère avait carrément refusé
d'inviter Rose et Michelle. Je me souvenais parfaitement de la scène. « Rose et sa fille sont juste des... »
Elle s'était arrêtée. « Rose est morte pour moi. » Ma
tante s'était tue devant l'impair et je n'avais rien
dit. J'avais mes raisons d'être soulagé. Je n'aurais pas
aimé faire face à Michelle, lui présenter ma femme,
lui laisser savoir jusqu'à quel point je respectais
maintenant l'ordre existant. Ce que je faisais de ma
vie ne regardait en rien Michelle.

Un an, deux ans plus tard, le hasard m'avait fait
croiser une manifestation dans les rues de Montréal.
C'était l'époque la plus radicale du mouvement
féministe en Amérique. Michelle Roche marchait
en tête du défilé. Je l'avais tout de suite reconnue,
sans erreur possible, et j'étais resté saisi : elle bran-
dissait son soutien-gorge au bout d'une perche et
marchait dénudée jusqu'à la taille, les seins offerts
au regard de tout un chacun, provoquant le désir
de n'importe quel fou, entourée par les autres jeunes
femmes qui criaient des slogans. Cette poitrine nue
avançait dans la rue comme une figure de proue,
une statue guerrière, et j'avais honte pour elle. Ses
seins précédaient pour ainsi dire la marche, et les

hommes s'arrêtaient pour la regarder en ricanant. Je me suis caché. Encore maintenant, cela me tue de penser à Michelle, cheveux au vent, poitrine nue, dérisoire *Victoire de Samothrace* au milieu de la rue. Une femme qui n'aurait pas eu une belle poitrine n'aurait pas ouvert la marche de cette manière. Ce jour-là, tout désir pour elle, tout désir de lui parler et de la revoir est mort en moi. Michelle fixait l'horizon comme la tragédienne, la grande actrice qu'elle a toujours été, avançant avec un sourire triomphal en criant des slogans féministes et en balançant son soutien-gorge au bout d'une perche. Maudite folle, a crié un gars derrière moi. Je me suis faufilé, caché pour la regarder sans qu'elle puisse savoir que j'étais là. Le lendemain, Michelle était à la une des journaux. Un scandale.

Sarah avait nécessairement été conçue pendant l'été de l'Exposition universelle. Durant cet été-là, Michelle avait habité chez nous, sous la garde de ma mère. Et je connaissais le père de Sarah. Je commençais à comprendre le sens de ce « testament » : Michelle avait voulu me charger de sa fille. Elle lui avait refilé mon nom plus ou moins consciemment, plus ou moins honnêtement : c'était son genre. Elle avait laissé une piste à Sarah. Je savais qui était le père, mais je n'avais pas la moindre idée de ce qu'il était devenu après le 31 octobre 1967. Si Sarah ignorait le nom de son père, je ne pouvais pas me taire…

La hache venait de frapper un nœud dans le bois mou de mon existence. Une écluse s'était

ouverte et je me voyais entraîné dans un mouvement où la réalité et la fiction se mêlaient en
tourbillonnant. Je n'étais pas encore prêt à accepter
qu'à une certaine échelle de la mémoire il en est
forcément ainsi. Mais je me glissais déjà dans une
peau antérieure. Mon réflexe a été de sortir.

Je me suis emparé d'un manteau de chat et d'un
bonnet de fourrure accrochés à la patère tout
l'hiver. Urgent. Je manquais d'air. Mon cœur battait. J'avais des crampes dans le ventre.

Devant le miroir, avant de sortir, j'ai été happé
un instant par la cicatrice minuscule, une trace en
demi-lune que j'ai sous l'œil droit. Je n'ai pas vu à
quel point j'avais maigri. Je n'ai pas remarqué mon
teint cendreux. Je ne voyais que ce mince vestige
d'une scène lointaine dont je n'ai pas de souvenir
direct et que ma mère m'a racontée. J'avais deux
ans. Je jouais avec Michelle. Nous nous sommes
disputés pour une pelle, un bâton. L'ongle coupant
de Michelle a écorché ma peau, laissant cette
marque. Un faufil plus pâle, presque invisible, sous
mon œil droit. Elle avait failli me crever l'œil.
J'avais eu de la chance de ne pas être éborgné par
son petit ongle acéré. Le tiret était encore là.

J'ai refermé la porte sans bruit et je me suis
sauvé, ridicule, comme un enfant qui craint les
fantômes. J'ai marché droit devant moi avec l'impression encore plus insensée d'aller vers quelque
chose, de me diriger vers un but ignoré mais réel,
un môle dans le brouillard.

Il était quatre heures, quatre heures et demie, et il faisait un de ces froids crus, exaspérants, de fin d'hiver. J'avançais dans la lumière coupante, claire, fallacieuse. Il y avait « un sens ». Un peu comme suivre une piste, jouer à un jeu dont on ignore les règles. Le ciel était gris fer et la roue du soleil bloquait l'horizon. Il fallait mettre sa main devant ses yeux pour voir, mettre un foulard sur son nez pour respirer. L'air était âcre. Fin mars. L'hiver ne finirait jamais. La lueur rouge saumon du soleil tremblait dans les vitres. La fumée des cheminées montait dans l'air pur et projetait sur les murs des ombres précises qui serpentaient avec une vélocité folle. Je traversais des boulevards, des rues qui ne m'ont jamais été familières et qui ne m'étaient d'aucun secours. Le sol me reconnaissait et rejetait enfin le corps étranger que j'étais. Je m'arrêtais et j'attendais devant des carrefours déserts, comme un vieillard distrait. Je traversais d'autres rues à toute vitesse, ignorant les klaxons, les éclaboussures de calcium, les feux de circulation, courant au-devant des voitures avec la conviction que je serais épargné. Un chauffeur a freiné, m'a crié des noms. Mais je me fichais des risques. Je manipulais le danger. Une présence palpable me côtoyait, me précédait et tentait de m'encercler. De me dominer. J'étais menacé. Mais je n'aurais rien pu nommer. Michelle avait écrit : « Quand je serai morte. » Le sens de ces mots tournait lentement autour de moi. Citadelle assiégée. Fossé et pont-levis franchis. « Quand je serai morte. » Le futur simple de l'indicatif marque une échéance réelle, et l'échéance se rapprochait de moi. Depuis six mois je me débattais comme une fourmi dans l'eau, et je recevais des nouvelles de Michelle. La visite de sa fille. Ce n'était pas un hasard. Je cherchais à comprendre. J'avais peur de basculer. De perdre l'esprit.

J'ai dépassé des échangeurs, enjambé des parapets, longé des murs, et j'ai fini par me laisser tomber sur un banc attaché à une table de piquenique, dans un parc industriel désert, devant une usine d'embouteillage, sous un lampadaire au néon. Une tuque de hockey était prise dans la glace et cela me donnait envie de pleurer. Un besoin sourd, de me liquéfier comme une chandelle, de faire sauter le barrage et de libérer le lacs comprimé qui me faisait mal. Pleurer comme je ne l'avais pas fait quand ma mère était morte. Mais j'en étais aussi incapable que, j'imagine, un impuissant de bander. J'étais sec et tari. Il faisait noir et je jouais à ne pas ciller sous les gros cristaux de neige mouillée tombant un par un du ciel sombre et sans repères. Ni neige ni pluie ni grêle. Ne pas penser. Un mécanisme de défense se mettait en place. Un garrot. Une vitre plombée, tenue à bout de bras.

J'ai erré encore un moment dans la zone d'industries urbaines — ordinateurs, produits électroniques, produits de beauté.

J'étais un crabe. En marche vers un trou plus ancien. En déséquilibre entre deux carapaces. Au fond des océans existent des êtres vivants qui n'ont jamais été atteints par la lumière : je venais de tomber dans la fosse. Un être hybride, ni chair ni poisson, avait vécu là tout ce temps. Michelle. Je la croyais éliminée, morte pour moi, comme Rose pour ma mère. Mais elle n'était qu'endormie. La partie de moi qui était liée à Michelle, je ne l'avais pas amputée non plus. Elle n'était qu'engourdie. Dans le cratère du Nouveau Québec, on a ainsi trouvé des ombles de l'Arctique, survivants d'un autre âge. Des ombres. Michelle, Sarah frappaient à la porte fermée, en moi.

La fille de Michelle. Je m'habituais. Elle ne lui ressemblait pas. Michelle avait les yeux pâles et Sarah, les yeux foncés. Rock, Roche : elle avait anglicisé le nom de sa mère. Je n'y avais pas pensé une seconde. Elle savait qui j'étais et n'avait rien dit. Je n'arrivais pas à démêler mes sentiments pour ces femmes-diagonales.

Le 23 décembre 1968, la veille de mon mariage, j'avais déchiré la dernière des innombrables lettres que j'avais envoyées à Michelle Roche, la dernière de toutes les lettres dédaigneusement laissées sans réponse par Michelle Roche comme si je n'existais pas, comme si je ne les avais jamais écrites ni envoyées. Lettres mortes. J'avais érigé en moi-même un mur barbelé. Une palissade iroquoise, une enceinte cyclopéenne : mon mariage. Sarah avait trouvé le passage.

Personne n'aime être manipulé et Sarah, Michelle me faisaient valser à distance. Je suis entré dans un restaurant. Des policiers en uniforme faisaient des blagues avec la serveuse. Ils étaient drôles. J'ai bu un café chaud et mangé un «beigne allemand» spongieux et trop sucré.

Quand je suis rentré, congelé, fiévreux, après avoir longtemps siroté mon café, j'étais calmé. J'avais réussi à repousser l'attaque. À me reconstituer, à me retrouver. J'ai replacé les lettres dans leur enveloppe. Au cas où. Je n'ai rien dit à Nicole. «Une envie de marcher, c'est tout...»
Michelle-ma-belle allait rester aux oubliettes.

Je n'avais plus rien à voir avec le Luc-Azade Santerre préhistorique auquel avait pu penser Michelle Roche en vertu d'une prétendue amitié trahie des milliards de fois. Elle s'appelait maintenant Mme Allen, elle avait fait annoncer son mariage dans la *Gazette*. Elle avait certainement un contrat de mariage. Quand nos enfants étaient petits, Nicole et moi avions écrit plusieurs fois, avant de prendre l'avion sans eux, ce genre de billet. Au cas où. Je ne les avais probablement pas tous détruits, moi non plus. Mme Allen n'avait pas besoin de moi pour exécuter les missions anciennes de Michelle Roche. Elle avait changé de nom. On ne peut pas tous changer de nom pour mettre un double fond dans nos vies. J'avais ma méthode.

Sarah cherchait le nom de son père. Si je la rencontrais un jour par hasard, je lui dirais ce que je savais. Mais je ne pouvais pas la rejoindre et je ne voulais pas la chercher. Je connaissais la méthode.

La méthode routine, automobile, jardinage et

bricolage, maison de campagne, maison de ville, compte en banque.

Mais la méthode avait des ratés. Mes défenses flanchaient. Je ne pouvais pas identifier l'ennemi. Nous n'avons pourtant qu'un ennemi.

Il tournoyait au-dessus de moi et je tentais de capturer son ombre. J'étais comme un petit enfant qui essaie d'attraper un papillon et qui ne connaît pas l'usage du filet.

LA DÉMARCHE DU CRABE

L e «moi» est retors, le mien était déjà passable-
ment effiloché et maintenant j'avais perdu mon
fil. Michelle l'avait fait disparaître, elle en avait repris possession, elle s'en était emparée sans même
se manifester.

Pour le retrouver, il me faut faire appel à un
cours de philosophie grecque que j'ai suivi il n'y a
pas longtemps à la télé universitaire. J'ai toujours
aimé faire de la philosophie, comme on fait de la
cuisine, de la chimie, du bricolage.

Les Grecs n'ont pas, bien entendu, ce sens du
moi, de la personnalité, de l'individualité, de la
singularité, de la sincérité... de l'«âme», qui vient
du fonds judéo-chrétien. Mais ce cours en trois
temps va me permettre de retrouver le fil.

Il y a d'abord Héraclite. Héraclite dit: «On ne
se baigne jamais deux fois dans le même fleuve.»
On change, on n'est jamais le même, on ne peut
donc pas se connaître. Il n'y a pas de continuité
dans notre existence. Ce que je veux aujourd'hui
ne me dira rien demain. Je n'ai plus rien à voir avec
celui que j'ai été.

Le nom de Sarah était un nom nouveau. J'avais changé. Michelle avait changé. Nous n'étions plus les mêmes. Nous ne nous étions jamais revus. Nous étions des étrangers, des inconnus l'un pour l'autre. Même celui que j'avais été et qui avait tant aimé Michelle n'existait plus. Puis vient Parménide qui développe la logique de l'identité, fondement de la science. Parménide dit : si tout change, aucune connaissance n'est possible. L'intelligible doit être permanent.

Et il y avait bien une voix intermittente, un substrat, un « moi » qui dormait en crocodile dans le fleuve d'Héraclite. Sarah et Michelle l'avaient réveillé. Il y avait du passé dans le présent. Et ce n'était pas précisément confortable.

En troisième lieu, Démocrite. Démocrite a résolu la contradiction entre la pensée du changement et la pensée de l'identité. Démocrite est un atomiste déterministe matérialiste. Il dit que l'univers est constitué d'atomes insécables et permanents. Ces atomes se rencontrent au hasard du grand tourbillon de la Fortune. Ils s'agglutinent pour former la matière, des « mondes » soumis à la génération et à la corruption. Démocrite a pensé l'un et le multiple, l'identité et le changement. On change mais on reste soi-même. On est seul, enfermé en soi-même, et pourtant les autres pénètrent continuellement la membrane qui nous constitue et qui nous sépare d'eux.

C'était mon fil, la modeste théorie personnelle du philosophe inassouvi. Nous sommes des atomes jetés dans le temps. Chaque individu est un atome doté de mémoire. Un atome est déterminé par des coordonnées simples : la date, le lieu où la Fortune l'a fait tomber, les autres atomes avec lesquels il forme un « monde ». Et moi, j'avais été parachuté au même instant et au même endroit que Michelle Roche.

Je prends rarement le métro. Mais j'étais assis dans le métro et je réfléchissais, perdu dans ce genre de ruminations, quand j'ai eu une sorte d'apparition. Assise dans un train immobilisé en face de moi, une femme me regardait avec insistance. Un chapeau rouge faisait de l'ombre sur son visage et je ne voyais que son regard qui m'observait.

J'ai pensé que c'était Michelle.

Évidemment, ce n'était pas elle. J'ai une bonne mémoire visuelle, j'aime observer les gens dans les lieux publics. Je ne connaissais pas cette dame. C'était une erreur, une vision, presque une hallucination. Un passager s'est interposé entre la femme et moi, la sirène a retenti, le train a pris de la vitesse et l'image a été balayée aussitôt. Mais mon cœur battait et, à l'arrêt suivant, je suis sorti du métro.

Cette femme n'était pas Michelle, mais deux atomes s'étaient croisés. Je marchais à grandes enjambées, sous la secousse, comme si cet échange de regards venait tout à coup d'imprimer à ma trajectoire un mouvement décisif, un *sens*.

Dehors, le soleil brillait. On avait l'impression qu'une de ces petites filles qui passent leurs journées à faire des dessins avait, pendant la nuit, avec sa boîte de crayons, coloré l'herbe en vert fluo, peint le brun rougeâtre des bourgeons, le jaune violent des pissenlits. La lumière d'été était revenue. La chaleur, maquilleuse invisible, caressait mon visage. Lumière et chaleur s'accordaient de nouveau. On était arrivé à la deuxième moitié de l'année mine de rien. Fini, apparemment, le régime sous lequel, contre toute nature, la luminosité est signe de froid. On réintégrait l'humanité. L'ombre allait reculer.

Une idée, un plan flottait depuis quelque temps dans ma tête. Rose Roche habitait encore Québec : j'irais là-bas. Je voulais lui apprendre la mort de ma mère. J'avais été surpris, froissé de ne pas la voir aux obsèques. La notice nécrologique ne l'avait peut-être pas rejointe. Ou alors, elle n'avait pas voulu passer l'éponge sur la brouille ancienne... J'apprendrais peut-être par elle des choses que je ne savais pas et qui jetteraient un éclairage nouveau sur mes souvenirs figés et sur cette histoire de testament. Ensuite j'irais à La Malbaie parler à ce notaire. Notaire Dubuc. Voir s'il existait encore.

J'ai invité Nicole à passer deux ou trois jours, peut-être plus, au bord du fleuve. Je voulais aller à Québec, puis à La Malbaie, parler à un notaire... Elle me regardait sans rien dire. Bien sûr, il n'y avait pas la moindre obligation légale d'aller voir ce notaire. Mais un «petit voyage» nous ferait peut-être du bien.

Elle ne pouvait pas m'accompagner.

Elle avait cessé de boire excessivement. Elle lisait maintenant des traités de bouddhisme, pratiquait le taï chi avec ses amies dans un parc voisin, s'occupait bénévolement de recyclage de déchets. Notre situation évoluait. Je ne pouvais plus me mentir. Cette femme, c'était celle que j'avais choisie pour prendre la place de Michelle après l'été de l'Exposition universelle. Elle était le contraire de Michelle. J'étais tombé dans ses bras parce qu'elle était absolument différente de Michelle, sa vie aurait été différente si elle n'était pas tombée sur moi.

Elle se sentait déclassée, elle avait raison. Il se trouve que les femmes qui ont adopté la philosophie de la «croissance personnelle» ont été déclassées. Je ne pouvais pas lui reprocher d'être restée celle que j'avais aimée naguère. Je n'étais pas «correct». Et elle résistait dans la tempête. Je la voyais d'un autre œil. L'issue était moins que jamais évidente.

Je continuais à me justifier. Après vingt ans de travail ou presque, je voulais prendre un congé sabbatique... d'une durée indéterminée. Ce projet se formait à mesure que je l'exposais. J'élevais la voix, je m'enthousiasmais, je me convainquais. Besoin de réfléchir à ma vie. Le bureau, les clients... je m'arrangerais. Rien de plus facile à remplacer qu'un dentiste. C'était pour cela peut-être que j'étais devenu dentiste. Pour me néantiser. «D'ailleurs je pense que je ne serai plus jamais dentiste. Je ne réparerai plus jamais les dents. C'est fini. Je ne veux plus faire ça. Réparer des dents.» Je tremblais, surpris par ces paroles qui allaient me faire dériver Dieu sait où.

J'étais président, secrétaire de divers comités, groupes, sociétés de langue française et j'allais leur écrire, démissionner. Bagage insensé! Il fallait se délester, se détacher. On verrait bien ce qui resterait après l'opération. On ne peut pas sortir d'un cocon sans le détruire.

Et la décision s'est pour ainsi dire trouvée prise, scellée. Aussi radicale que si j'allais quitter mon pays natal sur une coquille de noix appareillant pour le Japon, la Chine, le détroit de Behring. Ce n'était que Québec, le Bas-du-Fleuve. Un trajet pour les Américains. Mais je n'étais pas retourné là-bas depuis que, enfant, tous les étés, avec ma mère, j'allais passer un mois chez Rose et Michelle au bord du fleuve.

«Faire le ménage dans ma vie, éliminer le superflu, retrouver l'essentiel.»

Nicole continuait à peler ses légumes, je ne pouvais rien lire sur son visage. J'ai raconté ce que j'avais appris par hasard, dans un magazine traînant dans ma salle d'attente: l'ancienne amie de ma mère, Rose Roche, était devenue une vedette de la radio régionale. Elle avait un jour téléphoné à une émission sur la «passion du chocolat». L'animateur était tombé amoureux de sa voix de fumeuse, de son imperceptible accent anglais. Il l'avait invitée en studio. Elle avait un rire radiogénique! Quand elle évoquait ses souvenirs d'enfance, les lignes étaient assaillies, crépitaient d'anecdotes et de recettes de Pâques ou de Noël. Elle s'était emparée des ondes sonores de Québec à Gaspé. Je la retrouverais facilement.

« Michelle a toujours été comme une sœur. »
Les rondelles de radis, strictes et minces, se recollaient les unes aux autres en tombant sur la planche. Le bruit sec de l'acier disait ce que pensait ma femme. Mais ce « comme » était un point à ne pas dépasser, la limite de l'aire de clarté à laquelle j'avais accès, et je n'en dirais pas plus. Comme. Une maudite syllabe, qui siphonnait ma vie.

Elle gardait le couteau à la main, arme de la vie immobile et crispée qu'elle m'accusait de lui avoir fait mener. Une passerelle arachnéenne nous reliait encore. J'étais ému, comme un sourcier soupçonnant un filet d'eau sous la roche mère. Elle a haussé les épaules, lancé le couteau dans l'évier. « Eh bien pars, Luc, fais ce que tu veux, pars, tu es libre d'aller où tu veux, à Québec, à Michillimakinac, où tu veux ! »

J'ai évoqué encore la mission d'exécuteur testamentaire, le notaire à La Malbaie, des devoirs moraux. J'avais besoin d'un éloignement provisoire. Le mariage, les enfants, cela n'avait peut-être été, comme on dit, qu'une étape commune, le fameux « bout de chemin » à la fin duquel les « routes se séparent » ? Ces formules me faisaient honte.

Elle portait la même jupe évasée depuis toujours, elle faisait encore sa couture. Anachronique. Stoïque. Son corps si connu m'attendrissait. « On a vu souvent rejaillir le feu d'un ancien volcan »... Je l'ai embrassée en lui demandant de m'excuser, de ne pas s'inquiéter, de ne pas me quitter non plus. Tout n'était pas fini. Ses lèvres, sa bouche : ma bouche sentait de nouveau sa bouche, et cela ne m'était pas arrivé depuis des mois. Une sorte de resensibilisation ? de réincarnation ? Désensibilisation, resensibilisation, déréalisation. Nous marchions sur des œufs. Elle a fini par sourire bravement. Sa frange de petite fille, ses jupes sages, ses blouses en coton fleuri. Elle n'a jamais suivi la mode.

Je lui ai montré la lettre de Sarah, le billet de Michelle. J'ai compris tout à coup combien était grand son écœurement, combien je l'exaspérais, à quel point sans doute j'étais devenu un poids dans sa vie : « Mais, Luc, tu es libre ! Moi, je ne connais pas ces gens-là ! Je ne les ai même jamais rencontrés ! Novembre 1970, c'est un peu loin, mais vraiment, tu fais ce que tu veux ! »

Ce soir-là, nous avons fini par faire l'amour prudemment, comme des gens qui se remettraient d'un lumbago. Ensuite, nous sommes restés longtemps côte à côte les yeux ouverts, sans parler. Ce qui nous avait été enlevé allait peut-être nous être redonné si nous restions disponibles.

Le lendemain matin, je suis parti. « Dentiste en vacances. Veuillez laisser votre numéro. On vous rappellera. »

Nicole m'a accompagné à l'auto. Quelques

centaines de kilomètres. Pas de quoi dramatiser. J'avais envie de rire de moi-même, de tout. Mais c'était grave. Les liens tombaient un à un. Nous ne pourrions plus nous retrouver. Elle le savait. Je le savais. Seulement, aucun de nous deux ne pouvait deviner par quoi nous allions être séparés.

Je suis parti de mon côté. À la radio, il y avait le *Panis Angelicus* de César Franck qu'on avait chanté aux funérailles de ma mère. Je ne comprenais pas que c'était le deuil qui, souterrainement, m'attirait dans ces parages de l'enfance de ma mère, vers les endroits qu'elle avait aimés et détestés, inextricablement aimés et détestés. Ma mère disait souvent : l'amour, c'est défaire le passé.

J'ai traversé la ville sans la voir. Des rues, des gens que je n'aurai jamais pris la peine de regarder, qui ne me touchent pas. On n'aime finalement qu'un ou deux lieux. On ne les choisit pas, ils nous sont donnés. Pour moi, étrangement, ce n'était pas le quartier où j'étais né. C'était plutôt le fleuve où j'allais en vacances avec ma mère. L'eau en était bleu acier, vue du pont, et la surface brillait, s'élargissait comme un long dos déformé, s'échancrait vers l'Est. Le fleuve, la maison de Rose, pompeusement baptisée L'Ermitage : des lieux qui, pour ma mère, avaient prestige, grandeur et beauté. Nous venions de Montréal. Québec, le fleuve, c'était le territoire mystérieux de Michelle. Elle venait du « fleuve » et, dans mon esprit, le fleuve lui appartenait un peu. Ce monde était celui de ma mère, celui de son amie, et retourner là-bas c'était retourner vers le secret de ma mère.

Je me suis retrouvé tout à coup sur l'autre rive, face aux clochers de l'église d'Hochelaga. Le Stade olympique semblait accroupi comme une tortue de béton sur les petites maisons où j'avais joué enfant. Bientôt, on changeait de route. Dans le rétroviseur, la silhouette en deux parties de la ville, gratte-ciel, montagne, interceptait mon regard et se rappelait à moi. Mais j'étais déjà loin, là-bas ! Comme lorsque nous partions, ma mère et moi, le 30 juin, en laissant mon père à la Gare centrale.

J'avais envie de pleurer, j'ai fermé la radio, je me suis rangé sur l'accotement, la tête vide, dans le tremblement des poids lourds qui faisaient bouger le sol sous mes pieds, comme si la Volvo allait être soufflée, emportée dans le sillage des camions. Personne ne m'avait rien demandé, mais je me sentais appelé. Des lambeaux de messages, le crépitement d'un émetteur lointain me parvenaient. Je me sentais glisser. Ça n'allait pas. Mes enfants, ma femme : contre toute nature mes proches avaient pris la consistance de fantômes, les fantômes étaient devenus proches. J'avais l'impression de désobéir. Mais je ne savais pas à quelle loi.

Le pied sur l'accélérateur, j'écoutais le tic-tac de la petite flèche verte clignotante. Pleurer. Un déluge de larmes tièdes. Je n'y arrivais pas. Je devais faire une dépression.

Partir, rester ! J'ai pris la résolution de démarrer

quand il n'y aurait plus de véhicule en vue, ni devant ni derrière. S'en tenir à des décisions simples. Suivre le fil des causes et des effets. Embrayer et rouler vers Sorel par la route ancienne qui longe le fleuve plutôt que par l'intérieur des terres comme d'habitude. Je cédais à quelque chose, ou quelque chose cédait en moi. Revoir les villages où l'on passait avant. Contrecœur. Varennes. Québec. Lucarnes pointues, façades sévères. L'angoisse pétrifiée. L'hypnose de la conduite libérait mon esprit, des bulles s'échappaient, flottaient. J'irais revoir la maison de Rose. Puis je prendrais le bateau pour traverser le fleuve. Je chercherais ce notaire. Dubuc. Émilien Dubuc. J'essayais de me convaincre que tout cela avait du sens.

Quand j'ai eu dix, douze ans peut-être, ma mère m'a expliqué l'origine de son amitié pour Rose. Je n'avais oublié aucun des mots. «Je suis une orpheline... Je n'ai pas connu ma mère.» De seconde en seconde, le poids de ces paroles augmentait, la confidence devenait irrémédiable. «J'aurais cent fois mieux aimé ne pas avoir à te dire une chose comme ça, mon Luc, mais c'est comme ça. Personne n'a demandé à naître. Je ne sais rien de ma mère, je n'ai jamais cherché à savoir quoi que ce soit d'elle. Elle s'appelait Catherine. Elle venait de La Malbaie. Elle est morte d'une méningite trois jours après ma naissance. Elle avait dix-huit ans, elle n'était pas mariée. Personne ne connaissait le père de son enfant, mon

père. Le curé a demandé à une paroissienne de s'occuper de moi. Cette femme avait eu une fille sur le
tard : c'était Rose. Jusqu'à ma première communion,
j'ai pensé que Rose était ma sœur. Que mes parents
étaient mes parents. Mais le jour de ma première
communion, mon père m'a annoncé que j'étais
orpheline. Rose et moi, on a fait un pacte. On a
échangé notre sang. Elle est toujours restée une
sœur pour moi. »

Orpheline. Mère célibataire. J'avais déjà entendu
ces mots. C'étaient des mots actifs. Par l'effet d'une
loi inconnue mais toute-puissante, ces mots avaient
le pouvoir, à cette époque, à mes yeux de jeune
garçon, de rabaisser et de dévaluer ma mère. Ils nous
menaçaient tous les deux, et j'avais intensément
détesté leur capacité d'entamer la nature de ma
mère. La suite de l'histoire faisait partie de la
romance de mes parents. Ma mère avait quitté son
village à l'âge de quatorze ans pour travailler à Montréal. Elle avait trouvé un emploi de blanchisseuse à
l'Hôtel-Dieu. Elle avait rencontré le chef pâtissier,
mon père. « Par l'amour, Luc, on cherche à revenir
dans le passé, à défaire le passé, à l'annuler. C'est ça,
l'amour. Seul l'amour est plus fort que le passé. »
En un sens, j'avais tenté de suivre la leçon de ma
mère. Mais peut-être que ça ne réussissait pas toujours.

Toute la famille de mon père était montréalaise
et ma mère, à ma connaissance, n'est jamais retournée à La Malbaie. Mais chaque été, au mois
de juillet, Rose nous invitait dans sa maison de
campagne, en face, de l'autre côté du fleuve.

Le mari de Rose ne venait pas, et mon père n'était pas invité non plus. Il n'aimait pas Rose. Elle était de la «haute classe» et il nourrissait une méfiance ontologique envers la «haute classe». Parce qu'elle savait combien cette invitation déplaisait à mon père, ma mère partait à regret de Montréal. Mais quand nous descendions sur le quai d'une gare pour un arrêt, et qu'elle devinait la présence du fleuve, en contrebas, et cette odeur qu'elle qualifiait de «maritime», quand elle percevait, la première, le bruit du vent dans la prairie (elle prétendait qu'à Montréal on n'entend pas le «houlement» du vent dans l'herbe), je crois qu'elle oubliait Montréal et son mari pour redevenir l'amie intime, la «sœur» de Rose. C'était ce danger, ce glissement vers le passé que je flairais alors sans pouvoir l'expliquer. Là-bas, ma mère n'était plus tout à fait la femme de mon père. Elle n'était plus tout à fait ma mère.

Moi, j'étais l'invité. Un invité doit se montrer conciliant. Cela voulait dire obéir pendant un mois aux caprices de Michelle et de ses amies. Me plier aux humeurs féminines. J'étais le seul garçon. Là-bas, j'aurais voulu être quelqu'un d'autre. J'aurais voulu n'être pas né à Montréal, mais à Québec comme elles, car je m'imaginais que j'aurais été agréé, accepté par Michelle et ses amies. Ainsi, durant tout un mois, Michelle détenait le pouvoir absolu de rendre heureux ou de faire souffrir. Elle en profitait. Déjà, elle était un «personnage». Si nous n'avions pas été les enfants de deux mères amies depuis l'enfance, nous n'aurions pas été des personnages mais des personnes l'un pour l'autre. Notre vie aurait été différente. Mais peut-être sommes-nous tous des personnages les uns pour les autres.

Le soir, je m'endormais en écoutant parler ma mère et Rose au salon. La fumée de leurs cigarettes montait jusqu'à la chambre. Je partageais celle de Michelle. Elle parlait à mi-voix dans son lit. Elle s'adressait à son père parti diriger des équipes d'arpentage dans la forêt. Elle lui racontait sa journée. En bas, les petits verres de cristal tintaient. Rose et ma mère buvaient de la crème de menthe. Je luttais contre le sommeil avec le projet, une fois Michelle endormie, d'aller épier leurs secrets. Elles parlaient de leurs maris, de leur vie, de nous peut-être, leurs enfants. Mais l'air du large, le vent dans les lilas étaient des somnifères beaucoup trop forts pour ma volonté.

Ainsi cette amitié de ma mère et de Rose avait-elle engendré de toutes pièces le sentiment non identifié qui me liait depuis toujours à la petite fille tyrannique à laquelle on me livrait, chaque été, en juillet. Michelle. Un sentiment qui avait son origine en amont de ma vie. Il était logique que ni le mot amitié, ni le mot amour, ni les termes de sœur et frère, jumeau et jumelle, camarade n'aient réussi à le cerner. C'était un sentiment qui ne provenait pas de « moi », mais des traces que les autres avaient imprimées en moi avant que j'existe. C'était compliqué. C'était abstrait. Mais j'avançais. J'avais longtemps vécu sous l'emprise de ce «premier amour». Mais ce n'étaient pas non plus les mots qui convenaient pour ces étés d'avant l'amour, dans les cris des grillons, les meuglements des vaches, les effeuillages de marguerites, au royaume d'une Belle au bois dormant que jamais, jamais je n'aurais le pouvoir de réveiller.

Des sentiments flottants, des souvenirs vacants me rattrapaient. Je repensais à Sarah, j'avais la désagréable impression qu'on s'était moqué de moi. Cela n'avait aucune conséquence, mais j'avais besoin de répondre. Répondre quoi, à qui, cela n'avait pas non plus d'importance. De même, si je pensais à Michelle, à ces étés au bord du fleuve, je me sentais coupable. Déplacé, mal venu. Impuissant à réparer une faute que je n'avais pas commise et qui était sans doute l'erreur fatale de ma grand-mère inconnue. Une faute, une dette que ma mère avait endossée comme un chèque sans provision. J'avais pris en charge un poids dont je voulais la débarrasser, moi son fils, pour la décharger d'un héritage qu'elle m'avait transmis par-delà sa volonté. Ce n'était pas simple, j'étais dans le brouillard, mais cela s'était sûrement passé là-bas, quand nous étions loin de mon père et de Montréal. Ces sentiments étaient liés à ce petit voyage que nous faisions tous les deux seuls, ma mère et moi.

Elle changeait. Durant le trajet en train, elle se transformait. Elle se coiffait, se poudrait, mettait du rouge, des boucles d'oreilles. Elle surveillait son langage. Elle ne riait plus de la même façon, s'adressait à moi distraitement. Je n'étais plus le centre de son monde. À table, il fallait tenir sa fourchette correctement, ne pas racler son assiette, éviter de faire du bruit en coupant sa viande, ne pas tartiner son pain! D'après ce code, mon père et toute sa famille devaient être considérés comme des gens qui mangeaient « en cochon ». C'était difficile à comprendre. J'aimais partir seul avec elle. Mais je me sentais aussi complice d'une trahison.

Rose l'accaparait. Nous étions les invités et je recueillais les miettes de leurs conversations. Une société arriérée où le divorce était inconnu. Il était facile de deviner que Rose et son mari ne se trouvaient jamais au même endroit au même moment. Michelle disait que son père n'avait jamais posé le pied sur la rive sud du fleuve. Sa mère détestait pour mourir la forêt que son père aimait. Je ne comprenais pas quelle fierté elle tirait de la mésentente de ses parents. Elle gardait la photo de son père enveloppée dans du papier de soie, au fond d'un tiroir. Un visage aux traits grossiers : des lèvres épaisses, de petits yeux louches, des lunettes. Adrien Roche. Un inconnu que ma mère n'avait pas l'air d'aimer non plus. Qui nous interdisait à distance de manger des hot-dogs au village, des frites de la roulotte à frites, de boire du coca-cola à la cocaïne qui allait rendre les gens fous. Michelle lui obéissait religieusement. Elle ne portait ni robe sans manches, ni short, ni pantalon, défendus par l'Église. Elle sondait avec hauteur, en m'interrogeant, telle la reine d'Espagne recevant le rapport de voyage de

Christophe Colomb, ces mondes vulgaires dont son père la préservait : radio, télé, journaux. Le hockey. Les téléromans. Montréal. Notre monde. Là-bas, ma mère n'était plus exactement ma mère. Des fois, j'aurais tout donné pour revenir chez moi plutôt que de jouer au Monopoly avec les amies anglaises de Michelle. Il y avait dans sa famille des oncles et des tantes qui n'avaient jamais parlé français. Ils me vouvoyaient et j'avais honte. J'étais seul de mon espèce et je me sentais menacé de dissolution.

C'était ce mystère, l'énigme, encore, qui me poussait en avant. L'énigme ne faisait que se déplacer, changer de corps. J'avançais en moi-même, vers moi-même. Peu à peu, je comprenais que Sarah ne m'avait sans doute rien indiqué d'autre.

Stations-service, dépanneurs, développements immobiliers. Un étrange chapelet architectural s'égrenait au fil de la route. L'« étalement urbain ». Dans les fossés, des cerisiers sauvages étaient en fleur. On repérait au passage le noyau ancien des villages, le couvent, le presbytère, l'église. Leurs toits étincelaient au bord de l'eau, loin derrière les parcs industriels, les complexes pétrochimiques, les usines d'épuration et les « domaines » de bungalows aux noms stupides, Versailles, Neufchâtel, Anjou... La « conurbation ». Une maison en pierres des champs, avec son toit pointu, perdue dans un terrain vague, attestait périodiquement, comme un sceau sur une page, l'origine des ornementations aimées par les banlieusards: façades en pierres taillées, carreaux tracés à l'acrylique dans les vitres «thermiques». La société dont je provenais n'avait pas jugé bon de conserver le paysage. «On ne peut pas être et avoir été», dit Aristote. À midi, j'ai mangé un club sandwich avec des routiers. Ils buvaient de la bière. Ils écoutaient la télé. Je ne pouvais pas entendre ce qu'ils disaient. J'aurais pu conduire un de ces camions. Être un autre. Je ne sentais plus aucune nécessité à ma vie, à mes choix. Partir ou ne pas partir, revenir ou ne pas revenir.

La route coupait ensuite à l'intérieur des terres. On traversait une rivière, un bourg s'étalait sur les deux rives. Un pays austère, ingrat. Des fermes, isolées par la forêt. On commençait à sentir le passé. Imaginer cette route sans électricité, téléphone, télévision. Le bout du monde. Un isolat. Plus loin on retrouvait le fleuve. Le paysage allait m'ouvrir la porte de mon cœur.

Quelque chose était celé. Entre mes parents, je n'avais jamais senti rien d'autre qu'une entente sereine et simple. J'avais toujours eu la certitude de remplir leur vie. D'être le centre, le soleil de leur monde. Ma mère répétait toujours qu'elle avait une «bonne vie». Elle était douce, égale, aimable. Mais des fois, sans qu'on puisse le prévoir, elle devenait sèche, dure en paroles. Une barrière de sécurité avait été franchie. Maintenant je me demandais si ce bonheur égal de ma mère, sa sérénité, comme sur une photo ancienne le sourire figé d'une très belle femme, ne cachait pas une douleur permanente, un caveau où je ne pourrais jamais entrer. Elle avait voulu m'en bloquer l'accès pour me protéger. Je voulais savoir ce qu'il y avait à l'intérieur. Mais elle était morte et Rose, peut-être, me donnerait quelque détail sur elle, sur Michelle, sur Sarah. Sur moi-même.

Rouler, simplement rouler, engendrait un processus. Partout, les traces de l'hiver étaient visibles encore. Brun foncé des labours, jaune paille des herbes séchées.

La dette de ma mère envers la famille de Rose n'avait jamais été réglée. J'étais porteur d'une dette impayée. Michelle avait écrit : « Il va comprendre ce qu'il me doit... »

Je ne savais plus ce que je voulais. Chercher le nom de Rose dans l'annuaire téléphonique m'a tout à coup semblé strictement impossible. Je n'avais plus envie de parler à Rose. Je me rapprochais de Québec et j'avais peur. Ma détermination s'évanouissait. Une force s'amusait à me désorganiser et me faisait virevolter comme le vent retournait sans arrêt les faces, l'une mate, l'autre argentée, des feuilles des érables, au bord de la route.

En prenant de l'essence, j'ai téléphoné à cette station de radio qui avait valu à Rose son heure de gloire. Une standardiste bavarde m'a répondu que Mme Roche avait dû interrompre sa collaboration depuis qu'elle s'était fracturé le bassin. Elle était en Floride.

Et j'ai passé Québec, soulagé.

Plus tard, j'ai pris une bière dans une auberge de ce village où, avec ma mère, nous descendions « nous dégourdir les jambes ». La serveuse parlait au téléphone. Elle commentait les prévisions météorologiques. Au-dessus du bar, il y avait une sculpture sur bois. Un fumeur de pipe. Le toit rouge de l'église, les clochetons ajourés... Les portes étaient ouvertes. Eau croupie, cire brûlée. L'odeur d'encens et de moisi, l'air renfermé, l'écho des églises. J'ai fait le tour de la nef. Stations du chemin de croix. Le bon et le mauvais larron. Première chute, deuxième chute, troisième chute. J'étais un homme marqué par ces récits mais je n'éprouvais rien. Je ne pouvais que me rappeler les cérémonies. Servir la messe. Des rituels. Le confessionnal. Le rideau de velours rouge, l'œil du prêtre derrière la grille, la peur des péchés qu'on invente, la punition. Il y avait eu un effondrement. Le sens de ces récits s'était-il émoussé peu à peu ou tout avait-il craqué abruptement, en un brusque glissement de terrain ? Je me souvenais du triomphe tardif de la raison sur la religion. De notre colère d'avoir été bernés, bercés par des sornettes. Les boiseries étaient époussetées, les fougères arrosées, la lampe était allumée. « Il » était là. Le mystère, c'était d'avoir évacué tout ça. Un cratère. Pas moyen de retrouver ce qui nous avait formés. Ce monde avait disparu.

Je me souvenais aussi d'une autre histoire qui s'était passée ici. Un homme voulait épouser sa cousine, il demandait une dispense pour le mariage.

L'évêque exigeait trop d'argent et les amoureux faisaient appel au pasteur protestant, qui n'osait pas braver les catholiques. Alors, les rebelles organisaient un festin et, devant témoins et parents, ils se déclaraient mari et femme! La colère de l'évêque était si grande qu'il excommuniait le couple et toute la paroisse. Un curé voisin venait exécuter la sentence. Il éteignait les cierges, la lampe, brûlait les saintes espèces. Le charme de cette histoire ne s'était pas atténué. La désobéissance des cousins amoureux, la sainte violence de l'évêque... Le danger consistait à aimer quelqu'un qui vous était apparenté, qui était trop proche de vous dans la chaîne, à en tomber fatalement amoureux, dans un de ces villages.

J'ai marché dans le cimetière. Les morts, plus nombreux que les vivants, avaient transmis la formule de leurs os, de leurs yeux, de leurs cheveux. Mais il était aussi possible de transmettre des sentiments. Il existait une pareille génétique, une pareille hérédité des sentiments, une archéologie des attitudes devant la vie. Si on voulait se comprendre soi-même, il fallait remonter la filiation. C'était sans doute ce que je faisais. Du moins, cela avait du sens.

Laïcisation, urbanisation, sécularisation : des concepts qui découpaient mal les périodes de cette petite histoire révolue, de cette mémoire irréelle. Bulle insensée, hors du temps, perdue, qui par hasard était la mienne, que par hasard je retrouvais ici. Dans un recoin de mon esprit, il restait la conscience diffuse des ancêtres venus de France. Ils avaient lutté contre l'abandon. Un de mes collègues faisait partie d'un mouvement réclamant la citoyenneté française. Une lubie. Les ponts étaient coupés depuis longtemps.

Tout à coup le village, ses boutiques d'artisanat, son effort touristique me sont apparus sous un autre angle. Ternes, sans intérêt. La poussière d'argent du passé avait cessé de briller.

J'avais faim. Au restaurant, étrangement, on offrait une paella, que j'ai commandée avec une demi-bouteille de graves. La paella était un vague riz bouilli. Mais le vin était bon. Il y avait longtemps que je n'avais goûté. Tout se passait comme si j'avais cessé de sentir, de goûter, d'écouter et de voir. Je m'étais desséché, retiré de mon corps. Depuis quand? J'avais cru, j'avais voulu aimer ma femme, mes enfants. Mais j'avais peut-être toujours été absent? Absent pour les miens? Et maintenant j'étais rendu à moi-même? Si je m'étais trompé en me mariant, en devenant dentiste, en m'installant à TMR, j'étais censé être qui?

Dès l'arrivée de Sarah, les choses s'étaient déréglées. Sarah, Michelle allaient m'attirer dans un trou dans la terre et je ne pourrais plus ressortir. J'étais Luc-Azade Santerre. Dr Santerre, marié, père de deux enfants. Dentiste à TMR. Mais le besoin de vérifier quel était le poids de mon existence, d'obtenir la certitude que ma vie m'appartenait, l'emportait sur mes raisonnements. Notre vie ne nous appartient pourtant pas. Nous appartenons à la vie, au temps, aux autres.

J'ai décidé de rester là pour la nuit. J'ai loué une cabine et je me suis assoupi presque aussitôt devant la partie de base-ball. Plus tard, le silence de la campagne m'a réveillé. J'ai tenté de me rendormir, mais l'angoisse me talonnait, comme dans les films de guerre des lamentations provenant d'un champ de bataille déserté, jonché de débris. On entend le galop des chevaux en fuite, on croit sentir les traces de poudre et de feu. Tout a été emporté, balayé, ne restent que des clichés de ruines fumantes. D'où me venait la certitude d'être convoqué à jouer un rôle qui me serait révélé plus tard seulement? Quand comprenons-nous notre rôle exactement?

C'est cette nuit-là que j'ai commencé à penser confusément que Michelle «ressuscitait» pour me lier à la mort. C'était la mort théorique, abstraite, quasi rassurante, en un sens. Chaque fois que du passé surgit dans le présent, c'est la mort qui agit. Pour une raison quelconque, je n'avais jamais réussi à vivre complètement dans le présent.

Michelle avait pensé à moi, elle avait écrit: «quand je serai morte». Une blessure rouverte, mais aussi une douce plaie à caresser — cette lettre était les deux.

J'ai compris d'un coup ce que j'allais faire.

Michelle avait le teint pâle, des yeux pâles virant parfois au gris. Sarah avait la peau mate, les yeux noirs. La mère et la fille n'avaient aucun trait commun. C'est pourquoi je n'avais pas reconnu Sarah. En l'apercevant, j'avais senti bouger les cendres. Comme ces spécialistes qui reconstituent les manuscrits sous les ratures, j'avais reconnu en filigrane dans l'attitude de la fille, dans son regard, la mère elle-même. Sous le nouveau, le modèle ancien. Mais je m'étais arrêté avant, juste avant de comprendre.

J'étais coupable quand même. Sarah avait pu se demander si j'étais son père, et cette seule possibilité était aussi monstrueuse qu'un crime commis en rêve qui nous horrifie le matin. J'avais rêvé à elle, je m'étais cru amoureux d'elle. Elle avait deviné. Elle savait. C'était malsain. Ma culpabilité était sans recours. «J'aurais aimé que tu sois mon papa.» La trompette claironnait dans ma tête pour séparer les générations.

Michelle avait voulu établir un contact, un lien entre sa fille et moi. Elle avait voulu me recommander sa fille, trois ans après l'Exposition universelle de Montréal. J'étais sans doute le seul, avec Michelle, à connaître le nom du père de Sarah. J'avais peut-être assisté à la conception de Sarah, dans un motel minable, dans une de ces chambres à deux lits que nous occupions à trois.

Je n'étais pas le père de Sarah, mais «presque». «Comme.» Je ressentais, encore intact, cet étrange amour pour Sarah, ni paternel ni sexuel, cet étrange amour pour sa mère, ni fraternel, ni sexuel. Les mots s'insinuaient déjà dans mon esprit. J'écrirais ce que je savais, je m'en débarrasserais à tout jamais. Je raconterais tout ce que je savais, fidèlement, du début jusqu'à la fin. Pour y voir clair. L'idée d'écrire faisait sa place en moi, naturelle, comme elle est venue depuis toujours sans doute aux humains.

C'était le sens du «testament». J'avais trouvé mon filet à papillons.

Sur le papier à lettres de l'auberge, j'ai aligné des mots: «Le printemps de 1967 fut impatient et fébrile», sans me rendre compte du travail dans lequel je m'engageais. Une chère idée de jeunesse, une vocation inassouvie: écrire «un livre». Je n'avais jamais travaillé avec les mots. Mais dès la première phrase, j'ai compris que l'écriture créait sa propre réalité.

L'été 1967 était le père de Sarah. Cet été de l'Exposition, plus long que les autres, j'allais le raconter à Sarah. Elle y avait droit. Une longue lettre exhaustive.

C'est ainsi que je suis resté là-bas. Dans une balançoire en bois, face aux eaux boueuses du Saint-Laurent, j'ai rédigé ce qui suit. Le fleuve, le ciel changeaient sans arrêt. À chaque seconde une image nouvelle émergeait de la précédente, toujours la même et chaque fois différente. Et pendant tout ce temps, je me suis oublié, je me suis quitté! «Je» n'existais plus. Je n'avais plus à me supporter moi-même.

Je ne savais pas qu'écrire modifie celui qui écrit. Je ne serais plus exactement le même ensuite. Continuité, changement ne s'opposeraient plus autant quand «l'encre aurait coulé sur le papier».

La planche du présent était étroite, et le torrent dessous faisait rage.

VIRGINIA WOOLF.

L'EXPOSITION

Pour mademoiselle Sarah Roche
De Luc-Azade Santerre
Mai 1988

Sarah, je voudrais te raconter cet été 1967. Te le raconter bien. Je ne sais pas encore comment te faire parvenir ma lettre, mais je crois que tu vas la lire un jour. C'est fou. Je vais raconter exactement l'été qui précède ta naissance. Tu as droit à ce récit. J'ai été le témoin de ta préhistoire.

En 1967, le printemps a été impatient, fébrile. Des excroissances poussaient un peu partout dans Montréal. Chaque jour on voyait apparaître un tumulus nouveau. Les échafaudages grimpaient aux murs de brique. Des tunnels et des galeries se creusaient dans la terre comme dans nos corps en apprentissage, comme si cette ville avait notre âge, allait vieillir et disparaître avec nous. Du jour au lendemain, des rues redevenaient des chemins rocailleux, les égouts béaient, et quiconque le souhaitait pouvait examiner les entrailles de Montréal, renifler ses flatulences sous les toiles, les bâches, les nappes de vinyle délimitant des champs opératoires pour ravaler, cureter, farder le visage de la ville, construire un métro sous son fleuve, fabriquer des îles dans le fleuve — grand fleuve sectionné, abouché, rétréci, dont le débit ne serait plus jamais aussi puissant, dont on ne reverrait plus la couleur vert émeraude ni les remous sauvages, témoins des temps où il n'y avait pas de ville.

On tripotait le fleuve. Le lit allait en être asséché, remblayé avec des roches, de la terre, des débris de béton déversés jour après jour par des camions à benne qui formaient de lentes processions malodorantes qu'on suivait dans des autobus bondés, en grinçant des dents au bruit des marteaux pneumatiques, aux chuintements ahurissants des brosses, des polissoirs et des torches à acétylène. Des tonnes d'anges en plâtre, de statues de la Vierge et du Sacré-Cœur, rendus inutiles par la désertion définitive des églises, servaient au remblayage.

L'Exposition universelle. Des hexagones, des pentagones, des tétraèdres, des plates-bandes fleuries, des canaux et des bassins, des train-trains électriques circulant silencieusement sur des voies surélevées et, dans le noir des pavillons — chacun nettement identifié, décoré des signes distinctifs de chaque pays, car ces notions étaient encore très claires à ce moment-là à nos yeux —, des écrans géants, des écrans divisés, des carrousels de diapositives cliquetant en désordre. Chambardement audio-visuel. On achetait un passeport, on montait dans l'Expo Express, on se retrouvait ailleurs. Une illusion, une flambée. La jeunesse !

À Montréal, du 28 avril au 27 octobre 1967, le Canada accueillait le monde entier pour son anniversaire et, comme si une tante lointaine nous avait emprunté le salon pour recevoir, on se lavait, on faisait le grand ménage, l'économie roulait, on rêvait, on voyait tout en neuf, l'avenir était beau, il n'y avait aucun obstacle à l'horizon. Ce moment a été le seul à ma connaissance où Michelle a pu s'oublier elle-même, oublier ce secret qu'elle porte et qui me rattache à elle encore, où qu'elle soit, quoi qu'elle soit devenue, pour toujours.

Tu es née de cet été-là, Sarah. Un été fou, démesuré, dont tu es l'enfant! Si cela pouvait suffire! Si tu étais assez sage pour t'en contenter! Il est tellement plus simple et plus sain de ne pas regarder en arrière, comme on dit, Sarah. Laisser les souvenirs disparaître.

J'avais décroché un emploi à l'Exposition. Quelques jours avant l'ouverture, ma mère a reçu un appel de son amie de Québec. Sa voix un peu plus aiguë, les mots empruntés, le ton qu'elle prenait toujours avec Rose ont dû remuer en moi quelque sangsue, dans la vase, mais je n'ai pas fait attention. Puis elle a crié: «Michelle va travailler à l'Expo!»
J'écoutais vaguement.
Michelle allait habiter chez nous.
Ma raison sommeillait encore, mais je sentais la bulle remonter dans mon esprit léthargique de jeune homme qu'on dérange. Michelle? La dernière fois que je l'avais vue, c'était huit ans auparavant. Aux funérailles de son père. Trouvé mort en forêt. Sa

mère s'était remariée avec un haut fonctionnaire. Elle n'allait plus à la maison au bord du fleuve, n'ayant plus de raison, sans doute, de fuir cet homme que je n'avais jamais connu, Adrien Roche... Mon père est mort un peu plus tard. D'une crise cardiaque, à quarante-cinq ans. Nous avons déménagé dans un petit appartement près du collège. Je prêterais ma chambre. Il suffisait de placer un lit pliant dans le renfoncement qui me servait de bureau. Dans deux jours Michelle serait là et je n'avais rien à dire. Une affaire de mères. J'ai été chargé de rester à la maison pour la recevoir.

Elle restait là, sur le seuil, sans entrer. Habillée en petite fille encore : jupe écossaise, chandail de fil crocheté. La varicelle que, bien entendu, nous avions eue le même mois, dix ans auparavant, avait laissé des cicatrices sur sa peau et, pour une raison ou pour une autre, cela me paraissait renforcer l'hypothèse, le soupçon qu'elle laissait planer d'avoir subi une épreuve secrète, d'avoir mené une âpre lutte.

Ses cheveux tombaient devant ses yeux. Mais une mince ligne argentée, presque irréelle, zébrait déjà le rideau qui s'est toujours interposé entre elle et les autres. Une petite fille avec une mèche grise.

Nous étions gênés, trop gênés pour parler même, mais j'ai tout de suite compris que rien n'avait changé entre nous. Elle a dit, fausse et désinvolte, quelque chose comme : «Bonjour, Luc.» Et par un clignement d'yeux, la manière de soupirer, quelque signe subliminal, j'ai su que rien entre nous ne pouvait évoluer. J'ai reconnu le pli dédaigneux de sa bouche comme si l'air ambiant, les êtres humains en général, et moi en particulier, dégagions une odeur qu'elle seule pouvait sentir. Elle entendait rétablir son petit pouvoir. Elle n'avait pas renoncé à son plaisir. Le temps n'avait pas coulé, le temps ne pouvait pas passer. Nous étions encore les enfants du même âge de deux femmes liées depuis l'enfance qui avaient peut-être déjà, je ne sais pas, le même genre de relations autoritaires et infantiles. Il n'y a pas d'effet sans cause.

Par le cinéma, par les romans, j'avais acquis la connaissance profonde mais théorique de la vie que procurent les œuvres de fiction. Des personnages, souvent, m'avaient rappelé la petite fille du bord de l'eau. Mais sitôt qu'elle est arrivée j'ai cessé d'être moi-même, si être soi-même c'est être ce qu'on est devenu. Michelle me ramenait déjà en arrière, me tirait vers un repli antérieur de ma vie qui était aussi moi, l'avait été, avait été fossilisé, et qu'elle avait le pouvoir de revivifier.

Si j'avais baissé les yeux pour éviter le contact de son regard, ma vie aurait encore une fois pu être différente et je ne serais pas en train de t'écrire, Sarah. Mais bien au contraire ! Comme sur une rivière qu'on remonte dans des conditions de plus en plus difficiles, toujours plus curieux de voir la source marécageuse et inaccessible, j'ai été repris sur le champ de l'éternel désir d'atteindre l'origine du mal, de l'abolir en donnant à Michelle ce qui lui manquait. Illusion des illusions, celle de tous les hommes, Sarah. Moi! combler avec ma ridicule petite personne des attentes inexprimables, une faim, un appétit sans motif et sans remède!

Dans le boudoir, avant de s'asseoir, de regarder sa chambre — ma chambre, mais cela lui était dû comme le reste —, avant de déposer ses valises, elle a dit très clairement ces mots étonnants, qu'elle devait avoir longuement préparés: «Il faut que je couche avec quelqu'un.»

Je suis resté muet. Je n'avais aucune idée de ce qu'on pouvait répondre à une fille qui prononçait des paroles aussi directes. «Je veux faire l'amour. Cet été.» Elle se trouvait anormale de ne pas l'avoir déjà fait. À Québec, ce n'était pas possible. Elle dépliait des robes de coton fleuries, à pois, rayées, confectionnées par sa mère. Ses cheveux épais tombaient sur son visage mais jamais, jamais elle ne faisait le geste de les replacer derrière son oreille, de les attacher. Et si je repense à notre enfance, à l'époque déjà éloignée mais si trompeuse de notre jeunesse, si je me rappelle la détermination avec laquelle Michelle abordait ces réalités dont on ne parlait ni dans sa famille ni dans la mienne et qu'il fallait approcher comme des incultes surgis de nulle part, sans legs ni leçons des morts ou des vivants, l'image qui me vient à l'esprit est celle d'un nain qui s'attaque à l'ascension des Rocheuses les mains nues, privé de pic et de piolet.

Peux-tu comprendre cela, toi, où tu es, avec ces écouteurs qui te bouchent les oreilles ? À travers la musique pop qui t'empêche d'entendre le signal intermittent de ce qu'on appelle le «moi», peux-tu comprendre ? Tu es le résultat de ce que je te raconte, Sarah, je n'invente rien. C'est aussi clair et limpide que la différence entre avant et après, entre cause et effet. Rien ne se perd et rien ne se crée. Il n'y a pas à sortir de là. Notre esprit n'a pas la puissance nécessaire pour décrire le détail des causes et des effets de notre sensibilité. On supplée par l'imagination. Pas de mémoire sans imagination. Mais nos sentiments sont bel et bien engendrés, soumis à la loi de la vie et de la mort, et j'essaie de faire la recension de ceux qui t'ont immédiatement précédée, Sarah, comprends-tu ?

Dès le premier jour, c'était entendu, nous partirions à la conquête de ce que Michelle appelait allégrement, quand nous étions seuls, les «choses sexuelles».

Elle me traînait dans les discothèques. Je l'attendais au bar en la regardant danser. Nous repartions ensemble. Elle s'appuyait sur mon épaule dans l'autobus qui remontait lentement la côte. Elle ne se décidait pas à sauter la clôture. Je ne savais pas exactement ce qu'elle attendait de moi, je ne l'ai jamais su. D'autres fois on allait dans un café tenu par un Breton, fréquenté par des Allemands, des Hongrois, des Polonais. Elle racontait n'importe quoi à ces hommes. Pour se donner une contenance, parce que ce qu'elle était ne lui convenait pas? C'est compliqué. Je l'ai entendue prétendre qu'elle avait été victime, enfant, d'attouchements de la part d'un oncle curé. Qu'elle avait longtemps vécu à l'étranger. Que son père était un sculpteur français qui vivait à Paris et l'avait abandonnée ici. Fabulations. J'y participais par mon silence. Elle me donnait des coups de pied sous la table, me faisait passer pour son cousin, son amoureux, selon les circonstances ou ce qui l'arrangeait. Je ne disais rien.

Ensuite, elle s'est éclipsée. Mais je savais bien, je n'ai pas un instant cessé de savoir que ma vie ne pouvait se passer sans Michelle.

C'étaient des jours mémorables comme tous ceux de la jeunesse. Je me souviens d'avoir marché des heures dans les sentiers de l'Exposition, écoutant ces langues, ces accents inconnus. C'est à ce moment que j'ai pris conscience de mon ignorance. Je m'emplissais la tête de noms de lieux, de personnages et de dates célèbres. La conquête de la connaissance me fascinait beaucoup plus que l'obsession de Michelle pour les «choses sexuelles». Je reniflais les mets, les odeurs, les matières du reste du monde. J'imaginais des métropoles anciennes et complexes, des steppes aux lois cruelles. J'émergeais de la culture étroite et limitée dans laquelle j'étais né et qu'on m'avait transmise: latin, grec, Aristote et saint Thomas.

Michelle rentrait tard le soir et elle n'avait pas les mêmes horaires que moi.

Puis, une nuit — il me semble aujourd'hui que c'était le jour où le général de Gaulle a prononcé la fameuse déclaration qui a suscité tellement d'enthousiasme, mais ce n'est pas le cas, un effet nostalgique plutôt —, une nuit où l'enfance allait s'enfoncer d'un cran, elle est venue me trouver dans mon lit. Je dormais. Elle m'a touché l'épaule. L'odeur sucrée des fleurs du seringa entrait par la fenêtre. Michelle flottait dans une culotte courte sur laquelle tombait une ample blouse sans manches: ce qu'on appelait un *baby doll*. Les phares des voitures balayaient par moments sa silhouette, rayée par l'ombre des lames d'un store vénitien. Elle avait attaché ses cheveux pour la nuit mais elle était encore maquillée, parfumée. «Fais-moi de la place, Luc, je veux te dire quelque chose.» Elle s'est assise au bord du lit. Je sentais son savon, son haleine, son dentifrice, mais surtout je voyais ses seins et j'étais muet, j'avais la gorge sèche comme un garçon qui ouvre par mégarde la porte d'une chambre et qui surprend sa mère toute nue. «Je l'ai fait. J'ai couché avec quelqu'un.» Elle épiait ma réaction avec un air qui me semblait dénué de toute affection, cruel. Je restais immobile pour camoufler le choc, absorber le coup qu'elle venait encore de m'asséner, comme dans le carré de sable elle écrasait mon château d'un geste décisif et parfait. J'aurais voulu me rendormir, la renvoyer dans l'irréalité du rêve et de la nuit. J'étais humilié. Je me sentais trahi. Pourtant, il n'y avait aucune raison de se sentir humilié ou trahi.

Elle m'a embrassé sur le front et elle est allée se coucher. Je l'ai entendue tourner longtemps dans son lit. Je sentais encore son baiser insultant et j'étais incapable de me comprendre, de lire en moi-même. Le tonnerre grondait loin de Montréal. Les fleurs du seringa emplissaient l'air d'un parfum tangible et dense comme l'huile. Il commençait à faire clair et les bruits de décompression des premiers autobus me parvenaient du boulevard. Au déjeuner, devant l'éternel seau de miel Honey Bee, j'ai compris que je n'avais pas rêvé. Michelle s'est assise devant moi, changée déjà. Elle voulait que je le rencontre. Il s'appelait Marc Martin. C'était l'Amour. Il fallait des contraceptifs. Rendez-vous le soir même devant le pavillon des États-Unis. Son « amant », comme elle disait ridiculement en chuchotant pour que ma mère n'entende pas, son amant travaillait dans une boutique de cadeaux. « Je l'aime. Je veux qu'il te connaisse. »

Je me rends bien compte, Sarah, que je ne puis te raconter les choses que selon mon point de vue. Celui de ta mère, celui de ton père, je ne peux que les imaginer. Mais j'ai été témoin de tout, tu peux me croire.

Je les ai aperçus de loin, dans l'éclairage oblique du soleil couchant, près de la sphère géodésique de l'architecte Buckminster Fuller qui a brûlé quelques années plus tard. C'était un des pavillons les plus aimés de l'Exposition. Les gens faisaient docilement la queue pour entrer. Michelle avait abandonné les robes de sa mère pour un jean, une blouse blanche, des bottes de Californie. Un homme plus âgé que nous, dans la trentaine certainement, fort, élancé, avec de longs cheveux noirs luisants attachés en queue de cheval, était penché sur elle et l'embrassait sur la bouche.

J'ai voulu me perdre dans la foule, partir très loin, ne plus revenir chez moi, ne plus jamais lui parler. Mais elle m'avait déjà repéré et elle m'a appelé en gesticulant.

L'homme avait la peau du visage nue et lisse, sauf à quelques endroits où poussaient des poils noirs, nettement séparés les uns des autres. À première vue, je l'ai cru étranger. Mais il m'a dit avec un clin d'œil : « Moi, je ne l'appelle pas Michelle, je l'appelle Mick. » Et son accent était familier, pas du tout étranger. J'ai dit en riant quelque chose comme : « On peut toujours l'appeler Mick », et je crois que dès cet instant notre trio a été scellé. À la brasserie allemande, puis ailleurs, je ne sais plus où, nous avons passé cette première soirée et une partie de la nuit ensemble. Un peu plus tard dans la conversation, j'ai appris que Marc Martin était indien par sa mère. Maintenant, on dirait qu'il était un « fascinant produit culturel ». Mais à cette époque on ne pensait pas en ces termes.

Sa mère était la petite-fille d'un grand chef attikamek qui avait mené des luttes contre le gouvernement fédéral, avait écrit des lettres pathétiques aux ministres et aux députés pendant les grandes famines. Elle avait perdu son statut d'Indienne en épousant un Français de qui elle avait eu dix enfants. Marc Martin était le quatrième. Nous n'avions jamais entendu parler de la loi sur les Indiens ni du statut particulier des Indiens sous responsabilité fédérale. Cela ne le surprenait pas, cela ne le choquait pas non plus. Il ne connaissait dans la langue de sa mère que deux ou trois chansons aux sonorités nasillardes qui évoquaient pour nous la forêt, les feux de camp, les tambours, les missionnaires. Il était fier de dire qu'il n'était jamais allé à l'école. Son grand-père paternel, qui avait été instituteur dans le Dauphiné avant de « s'exiler au Canada », s'était chargé de son instruction. Un libre penseur, un anarchiste, un « vieux voltairien marxiste-léniniste » arrivé ici un peu avant la Première Guerre, qui lui avait enseigné la grammaire, le calcul des probabilités, la philosophie. Martin avait son sens de la repartie, ce qu'il appelait son « esprit de libertinage ». Il travaillait dans une boutique privée d'artisanat indien, vendait des mocassins, des colliers de perles, des canots d'écorce miniature. Bandeau sur le front, il jouait à l'Indien de service et ramassait son argent pour entreprendre une maîtrise en anthropologie. Il voulait étudier ce que les anthropologues blancs avaient écrit sur les autochtones du nord-est de l'Amérique.

Notre trio s'est formé de cette façon, dans l'enthousiasme, la spontanéité de cet été-là, et il a tenu jusqu'à la fin de l'Exposition.

Le corps souple de Martin, ses cheveux longs

jusqu'à la taille, sa démarche sautillante, la douceur de son sourire auraient pu lui donner une allure féminine. Pourtant, un effet opposé, décuplé, se produisait. Il avait longtemps pratiqué la gymnastique sur appareils et, un jour, il nous a démontré sa force en escaladant un poteau de téléphone sans aide, à mains nues. Sa chevelure opaque, aux reflets bleus, était épaisse comme du crin, et c'est bien au contraire la certitude d'être un homme, qui n'a rien à voir avec le sexe et qui ne peut être transmise que par le contact des générations, qui transpirait dans ses mouvements et dans chacune de ses paroles. «Mick» avait tout de suite perçu cette infime nuance qui n'est que le résultat du passé en chacun et qui a fait que les choses se sont déroulées de cette façon-là, peut-être, cet été-là.

Un groupe s'était constitué autour du pavillon de Cuba, où l'on servait de mémorables cocktails de rhum baptisés pour la circonstance des *Centennials*. Il y avait une petite piste de danse. Martin, qui avait été barman et avait appris à danser dans les hôtels, entraînait Michelle, le corps droit, les traits immobiles, l'œil vif. Moi, je n'ai jamais dansé. Je n'ai jamais été capable d'imposer à mon corps l'apprentissage des langages de l'apparence, ni celui de la voix, ni celui des gestes. Cela fait partie de mon caractère, l'opposé de celui de Martin. Mais Michelle insistait, elle me forçait à les rejoindre. Elle se déhanchait devant moi, se pâmait, les yeux fermés comme une orante. Je me dandinais sur la piste, raide, mal à l'aise, à part des autres, et je retournais m'asseoir aussi vite. Toute ma vie, peut-être, j'ai été ce spectateur assis, retranché, regardant de loin les danseurs.

J'avais un rôle à jouer, je ne le comprenais pas. Maintenant je me demande si c'était celui d'écrire plus tard ce que j'écris. Et ne dis pas « on s'en fout, mon vieux, on s'en fout de tes histoires ».

Je suis devenu l'ami de Martin. Nous sortions sans Michelle, pour jouer au tennis, parler, discuter des nuits durant. Il a été pour moi un professeur, un guide. Puis j'ai oublié sa leçon. J'étais ancré, comme mon père et mon grand-père, dans le tracé droit et simple de la courte histoire dont j'étais issu, telle qu'on me l'avait racontée et enseignée. Il y avait eu l'implantation française en Amérique, la Conquête anglaise, la formation du Canada, une rébellion ratée au XIXe siècle. Et maintenant un mouvement séparatiste qui, à mes yeux, s'appuyait sur des évidences : une culture, un peuple, un pays. Une donnée géopolitique claire, une question de temps. Bientôt, la règle serait rétablie et nous serions comme la France, l'Espagne, l'Allemagne, ces pays dont les drapeaux flottaient sur le pont de la Concorde et qui me paraissaient des modèles. Je devais oublier l'existence des Bretons, des Basques, ne pas vouloir la considérer. Je ne sais plus.

Martin ne voyait pas du tout les choses de cette manière. Il disait que l'Amérique est la terre du métissage, que l'histoire de l'humanité est l'histoire d'un vaste mélange ethnique. Il vantait la liberté de celui qui n'a pas de patrie et disait qu'« une

culture, un peuple, une nation», c'était la pensée
d'Hitler, la cause des génocides. Il faisait lui aussi
quelques raccourcis, mais il m'éblouissait.

Ces idées, auxquelles tu dois être habituée,
Sarah, si tu lis les journaux, étaient encore peu
diffusées à cette époque. Elles lui venaient de son
grand-père, l'athée anticlérical, l'anarchiste inter-
nationaliste qui avait fui la France pour des motifs
inconnus et avait abouti ici, voyageur pour une
compagnie de fourrure, Révillon et Frères, qui a eu
son siège rue de Rivoli et des bureaux rue Metcalfe
à Montréal. Tu peux vérifier, Sarah, si le cœur t'en
dit.

Le grand-père s'était fait des amis chez les
Attikameks, il s'était incrusté dans la région.
Devenu vieux, il s'était chargé, en échange du gîte
et de la nourriture, de l'instruction de ses petits-
enfants. Avant de mourir, il avait légué à Martin
une collection de romans du XVIIIᵉ siècle, en lui
disant que nous étions arriérés, qu'il devait s'efforcer
d'être citoyen du monde et se rappeler la leçon de
son grand-père : le plaisir est une valeur civilisatrice.
«Tous les hommes sont semblables.» Je ne savais
pas quoi répliquer. Martin était beaucoup plus
rapide et loquace que moi. «Il faut lutter contre
l'esprit de clocher, contre les frontières, contre la
violence et les guerres. Les seules patries sont des
mémoires», déclarait-il, romantique. «Des mémoires
et des langues.» Je le traitais de sophiste, de théo-
ricien. Mais ces formules que je ne comprenais pas
tout à fait me troublaient. Je n'avais pas d'argu-
ments. Martin était beaucoup plus calé que moi en

histoire et en géographie. C'est lui qui m'a appris à lire les pages internationales des journaux. Ces pays dont on voyait les pavillons, ces États-nations arborant leurs drapeaux allaient tous éclater un jour ou l'autre. Les nations étaient toutes issues de la domination d'une culture sur une autre, aucune n'était innocente. Surtout pas la nôtre. «Vos rapports avec les Indiens sont plus que douteux, vous n'avez pas les mains aussi propres que vous pensez...» C'était mon premier contact avec ce genre d'idées. J'étais choqué, insulté, mais incapable de répondre. Martin m'a fait connaître de grands esprits qui me déroutaient, qui me passionnaient. Ensuite j'ai oublié nos discussions, emporté par le courant nationaliste qui a tout drainé sur son passage.

En fin de soirée, il faisait inévitablement le compte rendu de ses relations avec Michelle. Je n'aimais pas ces indiscrétions. Je me sentais utilisé, menacé, sans pouvoir identifier l'origine du malaise ni comprendre à quoi je servais. Je détestais ce rôle, à ce moment-là, Sarah, mais je n'arrivais pas à m'arracher à ces conversations de fin de soirée ou de petit matin où il me donnait, sur mon amie d'enfance, des détails intimes que je n'aurais pas voulu connaître, dont je ne pouvais vérifier s'ils étaient vrais ou faux, mais qui me hantaient et me poursuivaient partout.

«Le hasard forme les liaisons; les amants se prennent parce qu'ils se plaisent, et ils se quittent parce qu'ils cessent de se plaire, et qu'il faut que tout finisse. » Une phrase de Charles Pinot Duclos. Un illustre inconnu, dont Stendhal, selon Martin, était un admirateur. Sa devise.

Il ne voulait être qu'un passager dans la vie de Michelle, elle ne devait pas compter sur lui. Un passager, un initiateur. Elle lui avait demandé quelque chose, il remplirait les termes du contrat. Moi, la fin arrivée, je serais là pour rappeler l'entente, réparer les pots cassés. J'écoutais, muet, en souriant lâchement, mal à l'aise. Martin était plus vieux, plus expérimenté que nous, et son langage me gênait. Il appelait un chat un chat, il aimait me scandaliser. Cela faisait partie de l'équilibre. Nous formions lui et moi un autre couple, le couple éternel du libertin et du puritain. Le pendant du couple amoureux, quoiqu'on ne puisse pas employer non plus ce terme car il s'agissait d'un échange de services, plutôt, concernant les «choses sexuelles». De retour à la maison, je regardais dans le miroir mes yeux insignifiants, ma peau pâle, mes lèvres minces, et je m'interrogeais vaguement, comme sur le seuil d'une porte. Depuis qu'elle avait déniché Martin, Michelle s'adressait à moi d'un ton encore plus hautain, et parfois je la détestais. J'aurais dû partir. Les quitter. Mais je restais. J'ai été d'abord trompé par les apparences, je l'ai crue heureuse, plus heureuse que moi. J'ai été jaloux de son bonheur, de sa victoire sur les choses sexuelles. Ces sentiments m'empoisonnaient, comme le gaz carbonique d'une voiture dont la carrosserie est percée. Mais j'étais incapable de prendre mes distances. J'étais sous l'effet d'une drogue douce qui m'engourdissait et je passais tout mon temps avec eux. Je ne sais pas quand j'ai commencé à deviner que la victoire n'était pas assurée. Michelle pouvait toujours faire l'actrice, la femme fatale : nous n'étions pas ici dans la *Dolce Vita*. Elle avait essayé de jouer un rôle mais elle n'allait pas terminer la saison. On pressentait la fin du film. Moi, je l'aimais. Il n'y a certainement pas d'autre mot. Je l'aimais d'un amour qu'encore maintenant je ne comprends pas. Je l'aimais sans la désirer. D'autant plus que je ne pouvais pas la désirer. J'aimais en elle ce que je ne pouvais pas désirer. Je l'aimais parce qu'elle m'évitait de désirer. Je l'aime encore parce que je n'ai pas pu l'aimer physiquement.

Maintenant que j'ai vieilli, j'ai comme règle de ne jamais écouter ce que les gens racontent de leur vie intime. Mais à cette époque j'étais inexpérimenté et fragile, je n'avais d'autre jeu que le mien. Peu à peu j'avais reconnu, sous le masque, la Michelle ancienne, à certains signes qu'elle-même ne pouvait pas lire. J'avais deviné, le premier. J'étais prêt. J'avais surpris dans ses yeux mobiles, inquiets, derrière la brume du vin, de la bière, de la marijuana, un éclair ancien. Et cet éclair, cet éclat fugitif, ce fragment puéril, moi seul pouvais le lire. Il est apparu une première fois. Puis de plus en plus souvent.

J'aurais envie d'écrire que c'était la peur, Sarah, que je reconnaissais, si je ne me méfiais de l'inflation verbale. La peur sans objet, intransitive, absolue, qui est un étrange équivalent de l'amour. Dans tes yeux, Sarah, je ne crois pas me tromper, il y a parfois le passage furtif de cette peur, cet éclat désespéré et sublime qu'on voit aussi dans le regard des chiens et qui est probablement la raison de notre attachement pour eux, l'éclair de l'effroi primitif, l'ombre de cet effroi, un sentiment dont la trace se perd, je crois, Sarah. Car dans les yeux de mes enfants, je ne vois pas cet éclair, je ne l'ai jamais vu.

Nous prenions nos congés ensemble. Avec des amis étrangers, des Français, des Belges, des Suisses venus pour l'été, nous allions à Québec, dans le Saint-Maurice, dans les Laurentides, pour faire visiter le pays à nos hôtes, si bien que nous avions aussi l'impression d'être étrangers chez nous. La nuit, on partageait la chambre par économie. Les ressorts grinçaient, je les entendais, je retenais mon souffle. Il était tout à fait évident que Martin désirait, aimait que je sois là, dans le noir, à les écouter.

Le matin, à poil pour déjeuner, Michelle me demandait en ricanant si j'avais bien dormi. Martin, son père et son grand-père pratiquaient depuis toujours le nudisme. Moi, je restais habillé. J'avais honte pour Michelle. Pas de la nudité, crois-moi ou non, Sarah, je m'en fiche. Mais de ce comportement de parvenue, de nouvelle riche du sexe.

Des fois, je regardais la télé pendant qu'ils faisaient l'amour dans la chambre, la porte ouverte. Je n'avais pas d'amie. Je ne souffrais pas. Mes photos de cette époque montrent un jeune homme conformiste dans l'uniforme de l'Exposition, propre, seul. Je n'étais pas malheureux. La passion de la connaissance continuait à m'emporter, à me sauver. Je lisais, je sortais, j'allais au cinéma, cela emplissait ma vie. Les partys, les fêtes se multipliaient. Nous flottions dans une bulle de bonheur. Nous savions que l'espace réel allait reprendre ses droits, les invités repartir dans leur pays réel, sans rapport véritable avec le pavillon touristique représentant l'image de pays tels qu'ils n'existaient plus, déjà, même à cette époque, que dans l'esprit des promoteurs. Mais on aurait dit que la fête ne s'arrêterait jamais. Michelle n'avait pas envie de retourner à Québec. Ma mère n'avait pas envie que Michelle reparte.

L'ombre se rapprochait quand même. Plus le temps passait, moins ils restaient en tête à tête, plus ils insistaient pour que je vienne avec eux partout.

Au mois de septembre, Martin a proposé d'aller à la réserve où sa mère était née. Une «vraie» réserve indienne.

Je me souviens, après des heures de route en forêt, d'une agglomération apparaissant comme en rêve. Maisons d'un étage, bungalows sans peinture disposés plus ou moins régulièrement le long de deux «rues». En pleine forêt. Nous ne sommes pas restés trente minutes là-bas. Michelle voulait partir. Elle ne se sentait pas en sécurité. Elle disait qu'elle allait être malade si on restait une minute de plus.

Elle n'avait jamais supporté la forêt ni les lacs et elle avait de la difficulté à respirer. Elle voulait s'en aller immédiatement, quitter cet endroit lugubre. Je me souviens de l'adjectif : « lugubre ». Elle était sous le coup d'une phobie réelle, mais à ce moment-là je ne pouvais savoir d'où lui venait cette peur irrépressible. Je n'en ai appris ou deviné la cause que très récemment. Ces étangs stagnants, ce ciel sombre la menaçaient. Nous nous étions aventurés trop loin. Les Indiens ne nous aimaient pas.

Mais Martin continuait à rouler. Il était insulté. D'une voix sourde il l'a traitée de « petite bourgeoise ». Il venait de lire *Le Capital* et ce vocable avait, cet été-là, la valeur d'une excommunication radicale et honteuse. Michelle a laissé entendre que Martin lui-même était peut-être aussi un intellectuel bourgeois. Il a été question d'alliance objective avec le prolétariat, de solidarité et de lutte des classes, de prolétariat et de sous-prolétariat dont faisaient objectivement partie les Indiens malgré leur marginalité dans le « mpc », le mode de production capitaliste.

Des enfants, des chiens aboyant nous suivaient. Des femmes aux cheveux noirs, aux dents ébréchées, les appelaient en criant et couraient après eux. Des vieillards cachés derrière les rideaux observaient notre voiture. Devant les services de santé canadiens, Martin a ouvert sa fenêtre, il a crié « Fuck Canada ! » et Michelle s'est mise à hurler qu'elle connaissait les Indiens et qu'ils allaient nous créer des problèmes et venir nous provoquer. Et Martin a dit qu'elle était xénophobe et raciste.

Nous avons grimpé à pied un sentier montant vers une passerelle désaffectée qui enjambait la rivière Saint-Maurice. L'air sentait la fumée, la résine. Des essaims de mouches noires bourdonnaient dans nos oreilles et dans nos cheveux. Un lieu saisissant, vu de ce pont étroit et vacillant au-dessus du gouffre. Les rapides roulant sans fin leurs flots sonores sous nos pieds. Les parois de roche tombant presque perpendiculairement dans la rivière. En amont, l'eau était noirâtre, couverte de billots pourris, immobiles. De l'autre côté, en face du lieu immémorial des Indiens, des arbres inclinés, foudroyés de toute éternité, cachaient ce que Martin appelait le village «blanc». Sanmaur. Un village fantôme.

Michelle était livide. Elle était malade, elle voulait partir. Mais Martin expliquait, sans s'occuper d'elle, qu'il y avait déjà eu toute une activité à Sanmaur: un magasin général, un télétype, un cinéma! C'est là que les bûcherons prenaient le train pour la ville. Pendant la guerre, des réfugiés d'Europe, des Juifs, s'étaient cachés là. Et c'était ici que son grand-père venait négocier ses peaux de renards. Maintenant, des squatters, des Métis, des Indiens habitaient les maisons abandonnées. Ils étaient classés «hors réserve» dans les statistiques fédérales.

Tout à coup j'ai vu Michelle dangereusement penchée par-dessus la passerelle. Elle vomissait dans le vide. Je me suis précipité pour la soutenir. C'est le moment que Martin a choisi pour lui crier avec un mépris que je ne peux oublier ni pardonner: «Tu

132

es restée une petite fille, tu vas toujours, toujours rester une petite fille, tu ne seras jamais, jamais une vraie femme. »

Quelque chose m'échappait. Il se vengeait, si mesquin tout à coup, et je lui en voulais. Il est retourné vers la voiture tout seul. Il a démarré sans explication et nous avons dû tous les deux courir après lui pour ne pas rester là sans auto dans cette réserve au bout du monde. Nous avions prévu que nous dormirions en chemin mais nous sommes rentrés directement et Michelle a été malade pendant tout le trajet. Elle vomissait et il fallait chaque fois demander à Martin d'arrêter. Il le faisait brusquement, sans mot dire. Il laissait tourner le moteur sans la regarder ni l'aider. C'était une route cahoteuse et il conduisait beaucoup trop vite, freinait sans prévenir comme s'il voulait la rendre encore plus malade. Il pleuvait. La forêt, éventrée par les coupes à blanc des compagnies, était sinistre. Partout des arbustes rabougris noyés dans des marais à l'abandon, des squelettes d'épinettes dévastés par la tordeuse. Même les arbres sains, tous semblables, finissaient par engendrer la mélancolie. Des tranchées de sable jonchées de cannettes de bière, de débris de plastique qui seront encore là dans mille ans, perçaient parfois le mur épais des arbres qui s'élevaient des deux côtés de la ligne jaunâtre du chemin.

C'est une danse qui a conclu cet été-là.

Et j'ai quand même beaucoup de mal à te raconter cela correctement, Sarah, en tentant d'évaluer comment tu vas recevoir ces mots, un jour, je ne sais pas quand, ni par quel truchement.

Mais une fois lancé, aussi bien terminer ce qu'on a commencé.

Le 31 octobre, un Anglais de Toronto qui retournait chez lui organisait une mascarade pour l'Halloween et il nous avait invités. Le temps était sombre, hivernal déjà. J'ai emprunté des gants et un masque opératoire à un étudiant plus avancé et je me suis déguisé platement en chirurgien. Michelle s'est fabriqué une sorte de combinaison spatiale argentée. Martin avait déniché une soutane de missionnaire, un rosaire, pour se costumer en « robe noire ».

Nous sommes arrivés les premiers. Notre hôte nous a indiqué le bac de bière et nous a laissés seuls tous les trois. Sa femme, que nous n'avions jamais vue, descendait l'escalier en faisant glisser théâtralement sur la rampe de chêne un voile noir qui lui servait d'étole. Elle avait une chevelure rousse frisée et des tavelures éclairaient son visage. Elle portait des gants qui montaient jusqu'aux épaules, une robe échancrée dont les bretelles de satin tombaient, et elle s'avançait vers nous à longs pas de danseuse. Michelle m'a poussé du coude.

Sans nous voir, la rousse a tendu la main à Martin et lui a dit d'une voix faussement ecclésiastique : « Mon père. » Il s'est penché gravement vers elle et l'a invitée à danser. Le mari avait mis un tango : c'était un amateur de cette danse. Selon lui, Martin s'y prenait à la perfection. La soirée commençait. Nous avons discuté de politique. La guerre des Six Jours était son sujet favori. Il supputait les torts et les mérites d'Israël en regardant le couple de danseurs, seuls encore au centre du salon. Sa femme était originaire de l'Est de l'Europe. Ils avaient tous les deux des parents en Israël. Les invités arrivaient, des amis, des amis d'amis, des gens que je ne connaissais pas. Le tango avait vite été remplacé par des gesticulations désarticulées, tout le monde ondulait librement, le party se déroulait par lui-même et allait durer jusqu'au matin, suivre des rites et des usages précis, selon les goûts de cette époque et de cette génération dont on allait tant parler quelques années plus tard, dont j'ai objectivement fait partie au même titre que Michelle et les autres mais qui ne m'ont pas été si familières que je l'ai cru sur le coup, car au fond je n'ai été familier de rien, ni de mon pays, ni de mon enfance, ni de ma jeunesse, ni peut-être de ma famille. Mon époque, ma génération, je n'en avais pas assimilé les valeurs et l'esprit autant que je le pensais, superficiellement, quand je les vivais au jour le jour. Et Michelle, qui cherchait avec tant d'énergie, tout cet été-là, à se conformer à son époque, à s'y mouler, à se confondre avec ce qu'elle pensait être son époque, n'en a pas été la contemporaine non plus, car des valeurs et des conduites qui venaient de loin avant nous dictaient depuis longtemps ce que nous étions. Mais nous ne pouvions pas être conscients de ce fil qui nous rattachait au passé, à un certain passé, disons, à ce moment-là.

Je suis resté longtemps assis, à scander distrai-

tement la musique, buvant peu, découvrant les
trahisons, les séductions, devinant les histoires qui
se nouaient. Des couples allaient se séparer, se
mentir, se tromper, et rien ne me semblait plus
intéressant que de rester sobre quand les autres
s'enivraient, d'observer les effets de l'alcool, les rires
et la musique augmenter avec la régularité d'une
fonction géométrique. Il y avait aussi, dans certains
coins, la cérémonie du « pot », passé de doigt en
doigt, dans des rires aussi légers que la fumée de
l'herbe, par d'autres jeunes gens blottis sur un
matelas. C'était la fête des morts. Chacun s'était
maquillé et déguisé selon son « expression personnelle », comme le demandait l'invitation. Seul notre
hôte n'avait pas de déguisement parce que, disait-
il lourdement, il était toujours déguisé. Il regardait
Martin danser avec sa femme. Elle n'était plus jeune
mais son corps avait encore toute sa beauté. Bientôt
elle serait trop mûre, mais sa bouche avait conservé
une moue d'enfant et elle dansait avec la frénésie
de quelqu'un qui va être privé de ce qu'il préfère.
Ils ne s'étaient pas quittés une seule fois. Deux
forcenés que la musique aurait entraînés loin des
autres, condamnés à danser, sérieux et graves, en
silence. Martin avait détaché ses cheveux qui
flottaient dans son dos et, avec la soutane, le visage
rougi, il avait cet aspect profanateur qui deviendrait
bientôt un canon esthétique. Leurs corps ployaient
en vis-à-vis comme deux cordes au son de cette
musique des Beatles, des Rolling Stones ou de Bob
Dylan que nous allions tous entendre à perpétuité,
car après nous les enfants, les petits-enfants écou-

teraient inlassablement ces airs et à tout moment, n'importe où dans le monde entier, le pouvoir évocateur de la musique nous replongerait dans ces éternels partys, ces amours, ces ruptures, ces trahisons de la jeunesse qu'autrement on enterre au plus profond de soi. Impossible d'entendre Janis Joplin ou Jimi Hendrix sans repenser à Michelle et à Martin.

Une grande femme vêtue d'un complet d'homme est venue s'asseoir avec moi. Elle parlait le français avec un léger accent anglais et une voix chantante, agréable à écouter. Elle était criminologue et voulait mettre au point une méthode faisant appel à la cartographie, à la statistique et à des modèles mathématiques, pour dresser la carte du crime à Montréal. Elle pouvait énumérer avec précision les parcs et les autres lieux dangereux dans la ville : viaducs, passerelles, abords de voies ferrées, stationnements en surface ou souterrains, passages, là où les femmes se font surprendre, attaquer, voler, violer, égorger, jeter dans le fleuve lestées de poids, enfermer vivantes dans des coffres de voitures ! « Je n'aime pas les hommes, m'a-t-elle déclaré en me regardant bien en face. Je les considère responsables de notre malheur à nous, les femmes. » Jamais avant ce soir-là je n'avais affronté la haine des hommes. C'était ma première rencontre avec ce genre de femmes qui allaient bientôt déstabiliser toutes les autres. Nous allions d'après elle assister à une montée de la violence urbaine, commandée par le développement de l'industrie de l'image. Bientôt on ne vivrait plus exactement dans des espaces urbains réels, mais dans une réalité fictive. Et les femmes, les enfants, certains groupes religieux ou marginaux seraient de nouveau les victimes de ce phénomène comme chaque fois que, dans l'histoire de l'humanité, le sentiment de culpabilité subit un recul ou est étouffé. Maintenant, bien entendu, on ne peut que penser que cette femme avait parfaitement raison.

À la fin de la nuit, j'ai cherché mes amis parmi les invités assis par terre, couchés à écouter du jazz, à s'embrasser. La musique était plus calme, maintenant, la trompette de Miles Davis nous berçait, personne ne dansait plus. J'ai trouvé Michelle endormie dans une chambre. Elle était saoule et ne pouvait pas prononcer deux mots ni marcher correctement. Je l'ai amenée dans une salle de bains bizarre, avec deux sièges de toilettes, deux baignoires. L'eau froide l'a réveillée. Elle a fini par articuler : « Martin, fini. »

Notre hôte est venu nous rejoindre. Assis sur le bord de la baignoire, il buvait du café, expliquait d'une voix éteinte que sa femme avait besoin de séduire les hommes, qu'il ne pouvait pas l'en empêcher, que cela le faisait souffrir, qu'il ne pouvait supporter l'idée du plaisir qu'elle prenait avec l'autre, ces familiarités, ces intimités auxquelles nous poussent l'instinct, l'alcool et le désir, et qui nous font rougir le lendemain. Mais elle avait tant souffert, elle avait perdu ses parents, presque toute sa famille. De quel droit aurait-il pu lui interdire de céder à son besoin d'amour, à sa maladie de séduire ? Même s'il en souffrait, il lui accordait cette liberté au nom de l'amour même. Son regard s'était allumé et on devinait, au tremblement de sa voix, que l'attitude de sa femme alimentait ses fantasmagories. Une partie de l'attraction qu'elle gardait pour lui tenait à sa capacité de séduire, à son pouvoir d'entrer en contact avec un homme et de le charmer, à sa facilité à passer d'un corps à l'autre. Il avait peut-être besoin de se convaincre ainsi du bien-fondé de son propre désir ? C'était compliqué. À tort ou à raison, j'ai pensé qu'il allait nous convier à une de ces partouzes dont Martin m'avait expliqué l'existence comme à un enfant qui doit être mis au courant des choses de la vie, au point que, des fois, je m'étais demandé ce qu'il voulait dire exactement. Il aurait peut-être aimé que j'aille les rejoindre. Il aurait voulu démontrer sa supériorité de « libertin ». Il n'avait pas osé. J'ai aidé Michelle à se lever. Nous partions.

Il pleuvait à boire debout, une pluie froide, drue, de 1er novembre. Dans les rues noires, des tas de feuilles mouillées faisaient des taches jaune clair. Le pavé commençait à être glacé et, de sens unique en sens unique, j'ai été entraîné tout en bas, jusqu'au fleuve, dans une enfilade de ruelles blafardes, de culs-de-sac et de voies ferrées. Et soudain j'ai vu surgir devant mes yeux un fantôme blanc qui levait les bras en criant, un grand enfant, un adolescent plutôt, un attardé de la tournée de l'Halloween. J'ai freiné. Je l'avais évité. À cet instant j'étais persuadé que je n'avais pas heurté ce passant nocturne et j'ai continué. Je me suis agrippé au volant et j'ai accéléré. Michelle n'a rien dit, rien entendu, rien vu. Plus haut dans la ville, je me suis arrêté près d'un parc. Je tremblais, je claquais des dents. Près de l'université, le café étudiant était encore ouvert. J'avais besoin de boire quelque chose.

Le lendemain, les jours suivants, j'ai surveillé les journaux. Aucune mention d'un accident. J'ai bientôt supposé que cela n'avait pas eu lieu. Pourtant, j'ai peut-être cette nuit-là blessé un inconnu et je me suis enfui. Il m'est difficile de croire que j'ai continué à vivre sans remords. Pourtant c'est arrivé exactement de cette manière : un bruit mou contre la carrosserie. Une ombre pâle dressée dans la pénombre. Et tout de suite après, ce phénomène d'irréalisation, à l'image de toute notre vie, peut-être.

J'ai bu deux bières et nous sommes allés marcher dans le cimetière. Il ne pleuvait plus mais le ciel restait bas et sombre, comme si la nuit n'allait jamais céder tout à fait au jour. Plus une seule feuille dans les arbres. L'hiver était là.

Appuyée sur moi, Michelle parlait tout bas avec sa voix rauque et grave, une voix de whisky-cigarette, presque une voix d'homme. La veille ils avaient fait l'amour, « tout s'était bien passé pourtant », et après, sans explication, Martin avait déclaré abruptement que tout était fini.

Les mots entraient en moi comme un alcool,

puis ils me faisaient un mal aigu. Comment dire,
Sarah? Michelle s'exprimait avec un vocabulaire,
une terminologie de sexologue, et je ne voulais pas
entendre ces mots. J'avais éprouvé *ad nauseam*,
depuis longtemps, le sentiment de ne pas exister à
ses yeux. Et je n'ai peut-être pas écouté tout ce
qu'elle cherchait à me dire cette nuit-là.

Prise dans sa glu, dans ce cercle qu'on appelle
le «moi», elle parlait comme si elle était toute
seule. Je ne comptais pas et il était inutile de
répondre. La parole ne servait pas à communiquer
avec moi. C'était plutôt une logomachie solitaire
qui avait lieu devant moi et dont je n'étais que le
réceptacle physique. Et de toute façon on ne pouvait jamais atteindre le cœur de ce qu'elle était. Elle
s'esquivait, elle mentait, tournait autour de la vérité
pour mieux lui tordre le cou. Cette nuit-là cependant, il y avait dans son soliloque une douleur
nouvelle, une nuance que je n'ai pas su distinguer,
dont je crois me souvenir, quoique ce souvenir soit
fatalement modifié par ce que je sais maintenant.

Elle grelottait et je lui ai prêté mon chandail
en disant: «Tu es fatiguée, on va rentrer.» Mais
elle pleurait, elle criait, et j'étais gêné de l'entendre
hurler ces choses qui ne se disent pas. J'attendais,
impuissant devant la crise qui se déchaînait.

Au bout d'un certain temps, comme l'animal
s'arrête au bord d'un précipice, elle s'est tue. Les
sanglots ont diminué. Elle respirait lentement, avec
le hoquet des bébés dont le chagrin s'achève. Nous

pouvions reprendre contact. Mais j'étais plus raide, plus corseté que jamais, et je n'ai rien trouvé d'autre à dire que ceci: «On a eu un bel été, Michelle. C'est ça qui compte.» Et j'ai vu qu'elle pouvait se ressaisir, qu'elle était de nouveau en mesure de m'écouter. Je partageais, je devinais ce que, malgré sa détermination à tout dire, elle n'arrivait pas à dire. De quelque manière qu'on les aborde, les «choses sexuelles» ne révélaient pas leur secret. Le barrage était fermé. Je me tenais avec elle au pied d'un mur. Frère et sœur, cousins, jumeaux? On percevait un grondement lointain. L'écho en était fatalement parvenu jusqu'à nous. Pas plus que nos prédécesseurs, nous n'étions capables d'en trouver l'accès, d'en comprendre l'énergie, le débit, le sens. Qui d'autre que moi pouvait donc partager son exil, ce bannissement immotivé? N'étais-je pas resté, moi aussi, tout cet été l'exilé du parquet de danse? Où, par qui avait-il été décrété que nous ne mettrions pas les pieds dans l'île?

Je dérive, Sarah, j'interprète, j'extrapole, je divague. Je n'ai aucun moyen de savoir ce que ta mère a pu penser cet été-là, ni ce soir-là après le départ de Martin. Nous sommes des atomes impénétrables, jetés dans le temps et dans un espace donné, et le hasard m'a fait naître le même jour qu'elle. Nos mères étaient nées dans un petit village perdu et elles s'aimaient d'un amour étrange et exclusif. Le temps, le lieu. Une date, un lieu de naissance. Un point sur une carte en trois dimensions. Il est sûr que le nœud s'était noué, que la porte s'était fermée avant nous, Sarah. Ici même. Ici d'où je t'écris. Dans ces villages étroits au bord du fleuve. Saint-Jean-Port-Joli, Kamouraska, Notre-Dame-du-Portage, Sainte-Flavie, Cap-des-Rosiers. Bien avant nous. Nous sommes l'écume. La trace du cercle du ricochet. Il me semble maintenant, Sarah, au moment où mes mots s'alignent, comme on dit, sur la feuille, que la scène a eu lieu en plein soleil, ou sous la clarté éprouvante d'un projecteur. Ma raison et ma mémoire savent, Sarah, que ta mère parlait dans l'obscurité d'un matin de novembre, dans l'odeur de feuilles mortes et la brume froide du cimetière qui commençait à s'animer de la vie ralentie des cimetières. Mais, comme dans une chambre de torture, le sujet même, l'indiscrétion de Michelle, l'inhumaine façon qu'elle a eue d'aborder la chose, sa détermination à tout dire, la cruauté qu'il y avait à me raconter tout ça, son insensibilité, me donnent encore l'impression d'une clarté trop grande, écrasante, d'une ignorance de l'ombre et de ses parages, comme si ta mère avait voulu coûte que coûte rester au soleil à midi, alors qu'on aurait pu s'abriter. Dans cette manière d'approcher la chose, la chose se dérobait. Comme les crabes qui rentrent dans le sable à la vitesse de l'éclair.

À la maison, elle a recommencé à pleurer : elle ne voulait pas dormir ni rester toute seule. Dans la cuisine, on a bu ce qu'il y avait, un flacon de brandy. Sur son visage, des traînées de maquillage avaient résisté aux larmes. «Je vais me coucher, Luc, viens avec moi, reste avec moi cette nuit, s'il te plaît, je ne veux pas rester toute seule.»

Je me suis étendu à côté d'elle, elle a pleuré encore puis elle s'est endormie en respirant par saccades. C'était Martin qu'elle imaginait à ma place. L'odeur, les bras, les cheveux, la peau lisse de Martin qu'elle croyait toucher. J'allais m'endormir aussi mais je luttais contre le sommeil. Ma mère crierait au scandale si elle nous découvrait, je devais me lever, aller dans mon lit. Ma mère, pensais-je, ne pouvait pas se douter de ce que nous avions vécu. Dans le monde de ma mère et de mon père, le désir, la sexualité ne créaient pas ces remous qui pouvaient vous avaler en un été. C'était un monde ancien, et nous étions dans le nouveau. Nous ne connaîtrions pas leur secret, ils ne connaîtraient pas le nôtre. On se transmettait le secret mais on n'ouvrait pas la boîte de Pandore. Michelle bougeait dans son sommeil, elle me coinçait, elle se plaignait. Je ne sais pas combien de temps nous avons somnolé de cette manière. Mais tout à coup, sans que je puisse prévoir, elle a ouvert les yeux, elle a pris mon visage dans ses mains et elle m'a embrassé. Elle ouvrait mes lèvres avec sa langue en me regardant de cette manière déterminée et clinique dont elle avait traité tout l'été les «choses sexuelles». Et nous étions dans un placard en cèdre rempli de robes, de crinolines et de fourrures, dans la cave de la maison au bord du fleuve, elle, ses amies et moi, le seul garçon, à leur enseigner ce qu'est un *french kiss* et tout ce que, dans le monde victorien attardé des jeunes filles de Québec, on leur défendait de savoir. Je l'ai secouée pour qu'elle reprenne ses sens. Elle avait des problèmes. Mais elle avait fermé les yeux, elle se suspendait à mon cou et se collait contre moi. Elle mimait, elle avait mimé tout cet été des gestes qu'elle ne comprenait pas, comme une sourde lit sur les lèvres, et je voyais très bien où elle voulait en venir mais c'était impossible, cela ne devait pas avoir lieu, cela ne pouvait certainement pas se produire et j'ai dit le plus délicatement possible : « Arrête, Michelle, il y a un tabou, je pense. »

J'entends encore le mot « tabou », Sarah, surgissant dans ce délire de fin de party, de fin d'été, de fin d'enfance dont je savais déjà que je me demanderais, le lendemain, si je ne l'avais pas rêvé, lui aussi. Ce n'étaient pas mes bras ni ceux de Martin, je le devine en t'écrivant, maintenant que le temps a passé, ce n'étaient pas des bras réels qu'elle voulait, Sarah, mais des bras d'avant, des bras fantômes, des spectres de bras, des bras flottant dans le temps, comprends-tu ? J'aurais dû la prendre dans mes bras. Je ne l'ai pas fait. Je n'en ai pas été capable et je regrettais, au moment où je m'en empêchais, de ne pas la prendre fraternellement. Et, tu vois, c'est ce même élan que j'ai eu vers toi, Sarah, exactement le même. Ce n'était ni Martin ni moi ni personne qu'elle cherchait, mais des bras plus « généraux », j'en suis sûr. Comme on en cherche tous un jour dans notre vie. Des bras qui

145

nous prendraient et ne seraient ceux de personne, des bras inconnus, primitifs, anonymes et fraternels. Ma mère allait se réveiller. J'ai dit encore, comme on nettoie les plaies d'un enfant qui vient de s'écorcher le genou : « Michelle, on va rester des amis même si l'amitié entre un homme et une femme, ça n'existe probablement pas. Ma mère va se réveiller, ça va faire toute une histoire. » Elle s'est levée sans rien dire et elle est partie. Elle était blessée, insultée, mais je ne l'ai pas compris sur le coup. Je me suis endormi ! Dans la cuisine, le lendemain, il y avait un mot de remerciement, des excuses à ma mère.

J'ai tout de suite téléphoné à Québec. La mère de Michelle m'a empêché de lui parler. Elle m'a ordonné sèchement de ne plus appeler, de ne pas chercher à revoir sa fille. Le samedi suivant, j'ai pris l'autobus et je me suis rendu jusque chez elle. Il n'y avait personne. J'ai attendu devant la porte pendant une heure. Rien.

Je suis revenu au terminus sans un seul regard pour toutes ces rues de Québec, ces maisons pointues qui me désignaient comme un coupable. J'ai repris l'autobus pour Montréal. J'ai commencé à lui écrire des lettres.

Voilà donc, Sarah, le récit le plus honnête possible de cet été-là. Une lettre de moi à moi. Probablement frustrante pour toi, mais c'est tout ce que je peux faire pour le moment, me parler à moi-même en te parlant.

Il reste tout de même un fait, Sarah : Marc Martin saignait du nez. Cela lui arrivait fréquemment. Et son grand-père français souffrait du même symptôme. Un signe de filiation, Sarah. Une maladie bénigne qui a un nom, un nom composé dont je ne me souviens pas. Cette maladie est due à une mutation héréditaire. Elle est considérée comme un marqueur génétique. Les gens atteints ont tous un ancêtre commun. Ils sont tous originaires d'une région précise de France. Ton arrière-grand-père était né dans un petit village sur le Rhône, et il était porteur du symptôme. Avec ce signe clair, Sarah, et tout ce que je viens de te raconter, tu pourrais certainement retrouver ton père si tu voulais. C'est lui-même qui m'a expliqué ces notions élémentaires d'épidémiologie, et je me rappelle que cette singularité avait été en partie à l'origine de son désir d'étudier l'anthropologie, l'anthropologie physique.

Tu pleureras l'heure où tu pleures
APOLLINAIRE.

RIVE SUD

J'étais devant une liasse de feuilles. Encore le syndrome de la lettre sans réponse. Cette fois je n'avais même pas d'adresse où l'envoyer. Je ne savais pas comment j'enverrais cette « lettre » ni même si je *voulais* l'envoyer. J'avais écrit pour moi, mais pas strictement pour moi non plus. J'avais écrit à Michelle peut-être. Et d'ailleurs, que peut vouloir dire écrire pour soi ?

Répondre. Mais à quelle question ?

Chose certaine, avec cette lettre dans mes bagages, j'étais plus léger. J'avais jeté du lest.

J'avais l'impression de mieux *voir* Sarah. Elle ne ressemblait pas trait pour trait à son père, mais le teint mat, les yeux fendus, le nez à peine busqué, l'impression que donnait son visage de « tomber droit », tout cela était « l'héritage amérindien ». Non pas une question de type ethnique mais la découverte, par inadvertance, d'une autre dimension plus ancienne, l'empreinte d'une mémoire génétique archaïque. Comme dans ces images faites pour être perçues de deux manières différentes, je lisais maintenant dans son visage la signature latente de Martin, de la mère de Martin, des ancêtres de sa mère, de leurs ancêtres venus d'Asie, du passé lointain, transformé peu à peu dans la chaîne humaine. Ce n'était pas le nom des parents, la généalogie en tant que telle qui me donnait le plaisir intellectuel, la satisfaction des découvertes que l'on fait par soi-même, mais une expérience plus générale de l'espèce, et de l'abîme du temps. Sarah s'ignorait elle-même! Elle avait teint ses cheveux. Le rouge à lèvres, le maquillage oblitéraient les marqueurs ancestraux. Comme ces Haïtiennes, ces Jamaïquaines métissées de New York ou de Miami qui pâlissent et décrêpent leurs cheveux, ou ces Asiatiques qui, après plusieurs générations en Amérique, ont changé d'habitudes, ont fini par nous ressembler, sont devenus gras, ont mêlé leurs traits aux nôtres. Nous sommes tous le résultat de l'oubli.

Je suis reparti en faisant bien attention de ne pas perdre le sentiment de plénitude mentale qui contrastait tant et si agréablement avec la poussée de désintégration qui m'avait entraîné ici. Dans l'église aussi j'avais ressenti, reconnu quelque chose. Un terme désigne ce genre de mémoire. *Anagnosis*, peut-être. Anamnèse?

On a établi le long du fleuve ce qu'on appelle des centres d'interprétation, les battures sont protégées par une loi patrimoniale, des panneaux expliquent les marées, la faune, la flore. Mais je n'avais besoin de rien pour lire ce paysage. Je suivais le

cours de l'eau, j'allais vers ma mère. Ce que je
voyais, ces battures qui brillaient comme du bronze
au soleil, cette voie fluviale de plus en plus large et
puissante, ces eaux limoneuses, c'était le lien, le
passage entre nous, le linceul de ma mère, la forme
de son secret. Il valait mieux laisser les secrets
intacts. Le paysage accomplirait mon deuil.
Le village, la maison de Rose n'étaient plus loin.
Je connaissais un par un ces chemins, ces pro-
montoires, ces points de vue et leurs noms. J'ai
essayé de faire des ricochets avec les galets. Mais
mon bras avait perdu la mémoire du geste. L'eau
était huileuse. Les vagues montaient par masse,
couleur café au lait. Une colonne de nuages,
illuminée par-derrière, se dressait comme un dieu
magique au-dessus des îles plates, presque noires.

Ma mère disait que, par beau temps, on peut
voir d'ici les laboureurs minuscules dans les champs
de la rive nord. Une image du Moyen Âge. Le
fleuve ici n'a pas encore la largeur de la mer. Mais
un peu plus loin, les rivières glacées du sud et du
nord l'ont tant gonflé qu'il se perd dans la mer,
devient la mer. Fleuve ou mer, c'était un éternel
sujet de conversation. L'eau douce se change en eau
salée. Il y a une coupure. Peu de gens la voient. Il
y a aussi un village marquant la fin du Bas-du-
Fleuve. Dans mon esprit, on franchissait là-bas une
véritable porte. Au-delà c'était plus beau, plus
glorieux encore. En face, sur l'autre rive, au fond
du Saguenay, dans des enclaves arctiques, vivent de
fabuleux organismes qui ont jadis été séparés à
jamais de leurs cousins des mers nordiques.

D'année en année ma mère m'avait répété le peu qu'elle savait du fleuve. Et elle était aussi présente dans ce que je voyais qu'elle l'avait été, vivante. C'était une manière différente d'être présente, mais elle était là. Ici, j'avais appris ce que c'est que d'aimer un lieu. C'était le plus ancien «ici» de ma vie. Un point autour duquel le reste de l'espace s'organisait, se hiérarchisait. En un sens il serait impossible d'aimer autant d'autres lieux ensuite. J'avais été déplacé. J'avais toujours senti un léger, un imperceptible exil. Car cet ici n'avait jamais été chez nous. Ni pour ma mère ni pour moi.

En face c'était un autre monde, dur, âpre, qu'elle n'aimait pas et dont elle avait peur. La rive nord.

Les chaînes de montagnes y découpaient des plans, dessinaient des lignes de crêtes, vert foncé, violettes, grises, jusqu'à la Mauricie. Le pays du père de Michelle. Là-bas, un lac portait son prénom. Le lac Michelle. L'immense propriété de l'arpenteur Roche.

Je pouvais refaire l'ordre des événements: Michelle avait compris qu'elle était enceinte, elle avait annoncé la nouvelle à Martin, il était parti quand même. Moi, je n'avais pas deviné ce qu'elle voulait me dire. Je l'avais déçue. Elle avait besoin de moi, elle hésitait, peut-être. Le précipice au bord duquel elle s'était arrêtée, ce silence. Je comprenais maintenant que c'était...

C'était Sarah.

Je lui avais écrit tant de lettres. Sans réponse. Être rejeté sans explication par l'idole ne peut signifier qu'une chose : coupable. Mais je ne savais pas de quelle faute. J'avais oscillé entre la rage et l'éternelle oblation pour Michelle. Puis j'avais décidé d'être aussi fort, aussi radical et intransigeant qu'elle, et j'avais détruit tout ce qui pouvait me rappeler Michelle Roche, Marc Martin. Je m'étais sevré de cet été-là.

J'avais changé d'objet, trouvé une femme. Nicole. Le contraire de Michelle. Discrétion. Pudeur. Simplicité de cœur. Une noix bien saine. Pour rompre, je m'étais lié à une femme qui me rappelait ma mère. Classique. C'est de cette manière qu'on devient sans s'en apercevoir le contraire de ce qu'on a voulu être. Ou qu'on accepte d'être ce qu'on est. Je ne sais pas. J'ai aimé Nicole. Tout de suite. Sincèrement. Mais cet amour était construit sur un nœud et je comprenais maintenant pourquoi j'en étais venu à douter de tout. C'était logique. Des sentiments construits sur d'autres finissent par s'écrouler. J'avais dans la tête ce que les architectes appellent un *opus incertum*. Ce qui avait été construit se déconstruisait.

J'avais aimé tout de suite la famille de Nicole. Quatre filles, un père quincaillier. Un confort intime assuré dès les premiers mois de vie commune. Un univers lisse, imperméable au temps. Le 24 décembre 1968, nous nous étions mariés à l'église, sans croire au rite, par déférence pour les « coutumes ». Nicole voulait avoir des enfants et

j'ai trouvé un grand bonheur à obéir à la vie, à
la transmettre, à me fondre dans le mouvement
des générations et à n'être rien de plus, rien d'autre
qu'un maillon. Cela me reliait à mes frères humains
du passé et du futur. TMR serait mon refuge contre
l'incertitude, la violence de la vie. Je m'en
suis remis humblement aux traditions qui nous
gardent de la folie. Je me suis laissé happer par la
fièvre politique, par un projet qui me dépassait,
annulait la vie personnelle. Et maintenant il n'y
avait plus rien qui dépassait et annulait les vies
personnelles. Nous étions atomisés. On pouvait
toujours prétendre le contraire et faire revivre les
rêves, mais moi je n'y croirais plus. Le temps avait
passé, il avait laissé sa marque. À d'autres le
flambeau.

En quelques mois, entre 1967 et 1968, j'avais
donc muté. Ces deux époques, séparées par une
saison, étaient aussi opposées que la nuit et le jour,
la préhistoire et l'histoire. La première rattrapait la
seconde. Entre les deux il y avait une faille. Un
précipice, un mur barbelé. Mais je venais de sauter
la frontière. Et chaque fois qu'on retourne en arrière, même imperceptiblement, c'est la mort qu'on
capture à l'œuvre dans notre vie.

Je méditais. Je ruminais. Je roulais lentement à
travers la campagne. Aboiements d'un chien. Grincement d'une poulie de corde à linge tiraillée par
le vent. Partout des arbres étaient en fleurs. Dans
les prairies, le vent faisait des ondes mates. Je n'ai
pas reconnu, tout d'abord, le village. L'ancien
chemin était bordé par ces « maisons mobiles »

auxquelles les gens ajoutent des galeries, des vesti-
bules préfabriqués. J'ai fait demi-tour lentement, à
la vitesse d'un corbillard.

> *Que lentement passent les heures*
> *Comme passe un enterrement*

Un souvenir littéraire remontait. Des vers m'indiquant une idée informe. Un poème d'Apollinaire.
La femme qui nous avait fait aimer Apollinaire était
le seul professeur féminin du collège. Une Hongroise, réfugiée après les événements de 1956. Elle
avait analysé le poème. La lenteur du temps, la
lenteur du corbillard, le souhait paradoxal du poète :
« Que lentement passent les heures. » Je le savais
encore par cœur. Il faisait partie de moi et m'aidait.
Cinq vers. Une petite combinatoire simple. Pour
traverser le temps. Des sémaphores.

De l'église, comme en rêve, j'ai retrouvé l'espla-
nade, suivi la rue qui rétrécit. Au détour, la maison
m'attendait. Une construction tarabiscotée avec des
tourelles à toit pointu, des arceaux ouvragés. Haute,
ne ressemblant pas aux autres. Fière, à distance du
village. Une folie, un fantôme au milieu de la
pelouse. La peinture venait d'être refaite. Un jaune
de crème pâtissière, du rouge autour des fenêtres.
Rien n'avait bougé. Les pneus sur le gravier faisaient
craquer le temps même.

Le poème me précédait presque. *Tu pleureras*
l'heure où tu pleures… La musique remontait, puis
les mots, puis le sens de la leçon de la Hongroise.
Se méfier de la nostalgie. *Tu pleureras l'heure où tu*
pleures. On ne revient pas au pays natal. On ne

revient pas en arrière. Rien ne nous appartient. Il ne faut pas regarder en arrière.

Un poème, un cours de philosophie : c'était ce qui me restait, la somme. Mon bagage, mon trésor ici dans cet endroit où le reste de ma vie s'effaçait de ma conscience. Où je n'étais plus moi-même ni l'autre en moi que j'avais été.

Que lentement passent les heures
Comme passe un enterrement
Tu pleureras l'heure où tu pleures
Qui passera trop vitement
Comme passent toutes les heures

Un page de journal était restée collée sur la porte. La photo de la maison. « Résidence de rêve à vendre. Style victorien. Lieu de tournage d'un téléroman célèbre. Sa situation en bordure du fleuve à proximité d'une église classée en fait un atout précieux pour une éventuelle auberge. Un refuge de silence où règnent le calme et la quiétude. » Cent soixante-quinze mille dollars. Une aubaine.

Je ne regardais pas le téléroman fameux, mais j'étais en pays connu. Comme dans un champ de mines, les souvenirs sautaient. Ne pas marcher sur la catalogne ! On ne passe pas par en avant mais toujours par le côté. La plate-bande. Pivoines, pieds-d'alouette, cœurs saignants. Des espèces apportées par les colons français, adaptées au climat. La porte de la cuisine était fermée, un store empêchait de voir à l'intérieur. Fermé. C'était ça. Une

porte fermée. Pas d'accès. Ma mère était morte.
Morte. *Incommunicado.* Ce qui restait, c'était une
maison qui ne nous appartenait pas, ne nous avait
jamais appartenu. Un monde supérieur. Plus riche.
La «haute classe». Nous étions des invités. Rede-
vables.
      Le tennis avait des lignes neuves, le gravier était
roulé. À Montréal, ma mère ne jouait pas au tennis.
J'en avais assez, tout à coup. On ne peut pas
retourner dans le passé. Rien ne nous appartient,
aucun royaume. Je pleurais enfin. J'étais assis dans
les marches de l'escalier et les larmes coulaient
librement comme si on avait cassé un élastique
tendu en moi. Ma mère était morte. Ce qui me
restait d'elle était ici. C'était son cénotaphe. Frapper à la porte, hurler, trépigner ne donnerait rien.
Elle avait été incinérée, on avait emmuré ses
cendres, inscrit son nom sur une plaque. Cette
manière abstraite de procéder m'avait empêché de
ressentir la séparation, peut-être.
      «Je suis une orpheline.» À Montréal, elle avait
bâti une vie à partir de rien. Elle avait inventé son
personnage, son rôle sur la terre. Elle avait recommencé, rompu les amarres. Et c'est maintenant
seulement que je pouvais comprendre sa force. On
n'atteint jamais la fusion. La vérité nous est donnée
à l'état de trace. Après coup. Des voies de communication puissantes, beaucoup plus puissantes que
nos consciences, nous relient aux autres. Mort ou
vivant : je ne trouvais plus la différence si grande.
Ma mère avait enfoui la honte d'avoir été abandonnée, son statut d'orpheline. Bien malgré elle l'ombre

portée de son chagrin m'assombrissait, moi, son fils. De sorte que ma vie, me semblait-il soudain, s'était jouée dans l'éclairage plombé, dans la paix fragile d'une éclipse solaire. J'aurais voulu lui dire ce que je savais. Je lui parlais...

J'étais si absorbé que j'ai été la proie d'un étrange court-circuit du temps. Une jeune femme et une petite fille de cinq ou six ans marchaient vers moi dans l'allée. La petite avait des tresses brunes. Un prénom est spontanément sorti de ma bouche : « Marie. » Je me suis tout de suite rendu compte de mon erreur.

La jeune femme était jolie mais un peu grosse. Elle m'avait bien entendu. Elle a répété : « Marie ? » Elle s'est approchée. Je ne pouvais pas cacher que j'avais pleuré. Elle semblait comprendre la situation mieux que moi. « Non ! Je ne m'appelle pas Marie. Je m'appelle Nancy. Mais... » Je l'ai interrompue. Ce n'était pas elle que j'avais interpellée, mais la petite fille. « Excusez-moi. J'étais loin... Perdu dans mes souvenirs. Il y a longtemps, je venais en vacances ici. Ma mère est morte récemment. C'est à elle que je pensais quand vous êtes arrivées. Au village, il y avait une petite fille qui s'appelait Marie. C'était la fille du pharmacien. Elle avait deux nattes brunes et une frange exactement comme votre petite fille. Elle jouait avec nous et j'ai confondu... »

Mais elle gesticulait, pour me montrer qu'elle comprenait :

« Elle s'appelle Camomille, c'est ma nièce. Vous

n'êtes pas fou. La fille du pharmacien, c'est ma mère. Sa grand-mère. Elles se ressemblent comme deux gouttes d'eau. Si on compare les photos d'enfants, c'est incroyable. C'est pour cela que vous vous êtes trompé !

— Je comprends. Excusez-moi. Je m'appelle Santerre. Luc Santerre.»

Nous avions tous les deux le sentiment d'avoir fait une expérience extraordinaire. Elle semblait aussi secouée que moi. Car si un pur étranger avait reconnu la ressemblance, c'était la preuve qu'elle dépassait la normale ! Cinq minutes plus tard, nous avions l'impression de nous connaître depuis toujours. Je la soupçonnais d'être une adepte de la parapsychologie. Elle croyait vaguement que Camomille était une réincarnation de sa grand-mère. Il était très difficile de dire si elle était intelligente ou stupide. Elle était payée par le vendeur pour surveiller la maison. Un voisin l'avertissait aussitôt qu'il voyait quelque chose. Elle était venue tout de suite. J'avais l'impression qu'elle se moquait un peu de moi. Elle était survenue si vite ! C'était un tel hasard. La vie de village... Un monde fermé. Qui rend fou.

J'ai dit que j'allais faire un tour sur la plage. Il faisait chaud, j'avais envie de me baigner. Elle a ri de moi. On ne se baignait plus dans le fleuve ! Les gens avaient des piscines !

J'ai acheté un sandwich et je suis descendu à pied au bord de l'eau. La plage n'était pas nettoyée.

Elle était couverte d'algues pourries. Des os, des boîtes de conserve traînaient. Le vent apportait des odeurs de poisson, poussait de petits nuages effilochés vers l'horizon. L'eau était glaciale, comme toujours. J'avais un vieil imperméable dans la voiture. Je l'ai étendu sur le sable. Un sable noir qui salit. Sur le dos, les bras en croix, je regardais le ciel, j'écoutais les vagues. Il devait être deux heures de l'après-midi. Le soleil était chaud. Je suis resté là longtemps. Je sentais les vacances. Des enfants sont venus jouer. Ils construisaient un fort plus loin. Je les ai regardés faire. Ensuite je me suis endormi. Les enfants criaient, la mer montait.

Quand je me suis réveillé, Nancy, la jeune femme, était là, mais seule maintenant. Elle marchait au bord de l'eau. Elle m'observait. Elle m'a fait un signe de la main.

Son corps était massif, sculptural. Elle s'est assise plus loin sur une roche. Elle me tournait le dos. Sa taille, ses hanches étaient puissantes. Elle me faisait penser aux femmes de Botero. Je me suis détourné, mais après quelques minutes elle s'est avancée vers moi.

Elle avait un sourire narquois et elle parlait vite, en me tutoyant maintenant, se relançant elle-même. Ses cils étaient noirs et fournis, et on aurait dit que je connaissais sa parenté au complet du seul fait que j'avais joué enfant avec sa mère, reconnu ses traits dans ceux de la petite fille. Son grand-père le pharmacien était mort. Les gens n'aimaient pas son grand-père parce qu'il était le fils d'un vagabond arrivé de nuit, pendant la Crise. Cet homme savait comment distiller de l'alcool avec un alambic et les autres allaient boire dans son érablière. Dans l'érablière, il y avait une ancienne carrière que la municipalité avait négligé de remplir. De l'eau stagnante s'y était accumulée. On y avait trouvé le corps d'une jeune femme. On avait raconté ce fait divers dans le téléroman. Avec une image du générique, on avait fait un casse-tête représentant la maison victorienne. Elle l'avait acheté. J'ai demandé où on pouvait se procurer ce casse-tête. Elle était contente de parler avec moi. Je n'avais pas idée à quel point la vie était ennuyante ici. Ses cheveux étaient épais. Elle les recoiffait constamment avec ses doigts. Elle avait un grain de folie et elle m'intéressait. Nous avons marché ensemble en direction du magasin. Elle voulait savoir si j'étais marié. Oui, j'avais une femme, deux enfants, mais j'étais seul ici. Elle a dit qu'elle m'avait tout de suite trouvé sympathique. Il ne venait jamais personne ! Son ami dormait toute la journée ! Les jeunes partaient. C'était mortel. On ne sentait pas le vent froid qui vient du large, même en plein été, au bord du fleuve.

Près du stationnement il y avait un mur de ciment, et j'ai éprouvé tout à coup un besoin fou d'aimer quelqu'un. Je l'ai attirée vers moi, par détresse peut-être, je ne sais pas. Elle ne résistait pas. Elle me regardait sans surprise et je ne pouvais pas lire son regard. Je l'ai serrée contre moi, enveloppée dans mon imperméable comme dans une tente.

Pour dire quelque chose, j'ai demandé si elle savait que Nancy est un prénom français. Elle n'avait jamais entendu son prénom prononcé de cette manière. Ma main glissait sur son chandail et elle m'a dit «non». Moi, peut-être que je ne connaissais personne ici, mais elle, elle ne pouvait pas se permettre de courir un pareil danger. Sa voix tremblait mais elle restait là. J'ai chuchoté: «Nancy! Nancy! C'est plus beau en français.» Elle riait et je l'ai embrassée délicatement. Elle m'a laissé faire. Puis elle a dit: «Je m'en vais, je m'en vais.»

Une auto s'est arrêtée à quelques mètres. La radio jouait fort. La portière s'est ouverte. Des hommes sont passés plus loin sans s'occuper de nous. D'un ton sec, elle m'a dit de la laisser tranquille. Sinon elle crierait. Elle crierait, elle appellerait. Elle a ramassé son sac et elle est partie, et quand elle s'est retournée j'ai eu l'impression qu'elle se moquait franchement de moi.

J'ai quitté le village sans acheter le casse-tête. Ce n'était pas mon genre d'embrasser une fille que je ne connaissais pas. Bien des hommes prétendent qu'en forçant un peu on peut avoir n'importe quelle femme. Ils doivent avoir raison. Mais cela ne m'intéressait pas. Je ne savais plus qui j'étais et je ne pouvais m'expliquer ce qui m'arrivait. Les choses m'échappaient et j'avais la gorge et l'estomac serrés. Je me suis forcé à respirer calmement.

J'ai roulé jusqu'à Rimouski. Je cherchais du papier. Pour éviter que les choses ne m'échappent encore plus. Dans un magasin de cadeaux, j'ai acheté un ensemble de trois cahiers de couleurs différentes. J'ai loué une chambre dans un hôtel. Ma tête était comme un sac de papier vide. J'ai bu une ration de scotch du minibar. Sur le premier cahier, j'ai écrit «Rive sud» à l'emplacement prévu pour le titre. J'ai résumé ma journée. La maison. Ma mère. Apollinaire. La petite fille. La plage. Puis je me suis endormi.

Je n'avais plus la notion du temps et j'ai dormi sans interruption jusqu'à quatre heures du matin. Un rêve m'a réveillé. J'élevais des gerbilles dans une cage. J'avais dix, onze ans peut-être. Sous ma gerbille, au milieu d'un lit géant, je découvrais cinq bébés à la peau luisante, brun rosâtre. Mais je ne savais pas que ma gerbille était enceinte. J'avais honte de mon ignorance. De ne pas connaître les lois de la vie. Sans transition j'étais adulte. J'étais médecin. Nicole venait d'accoucher. On apportait un bébé, le jumeau du premier. On venait juste de le trouver. Nicole criait: «C'est impossible, on ne peut pas accoucher sans s'en rendre compte, ça ne se peut pas. Tu veux me refiler un enfant.» Par hasard, je plaçais les jumeaux côte à côte. Il étaient plats comme des biscuits. Du pain d'épice! Ils s'emboîtaient comme le yin et le yang, comme les Gémeaux. Je criais: «Ils ont été placés de cette façon dans l'utérus.»

Je me suis réveillé crispé, angoissé. Un moment, j'ai ignoré complètement où je me trouvais. J'ai ouvert la fenêtre pour dissiper le rêve, le renvoyer au néant.

Il pleuvait. L'asphalte luisait sous les néons d'un garage Ultramar. Ce rêve dégageait un sens. Sa signification s'échappait comme du vent par les trous de ce qui me restait de rationalité. L'air soufflé par un joueur de flûte fou criait par les trous de ma vie. J'ai monté le thermostat. Les tuyaux cognaient. Dans la douche, l'eau tiède ne parvenait pas à me réchauffer. J'ai bu un *ginger ale,* mangé des arachides, ouvert un poste transistor que je transporte toujours avec moi. *Les Insolences d'un téléphone.* Un homme allait être initié chevalier de Colomb. On lui demandait de réciter son acte de contrition. L'homme le faisait. Il récitait son acte de contrition à la radio! «Mon Dieu, pardonnez-moi mes offenses.»

J'étais plié en deux, assis au bord d'un lit dans une chambre d'hôtel et je me dilatais la rate. J'avais des crampes au ventre tellement je riais. Il était cinq heures du matin, j'aurais pu pleurer aussi, j'étais sur le seuil entre les larmes et le rire, je ne savais pas ce que j'avais, mais j'étais absolument sûr que quelque chose clochait.

J'ai transcrit mon rêve dans le cahier. Puis j'ai décidé de partir. La chambre sentait le renfermé. Une crise de claustrophobie. Le vent me poussait. De-ci de-là. J'allais prendre le bateau dès maintenant, traverser, et sur l'autre rive l'atmosphère serait déjà différente, ce ne serait pas la même chose. J'irais chez ce notaire, le notaire Dubuc, comme prévu. Il fallait tenir les rênes. Suivre le fil.

J'appellerais chez moi, j'appellerais Nicole, je lui demanderais de venir me rejoindre, je lui dirais «je t'aime», et cela ne serait pas un mensonge, mais la vérité. Et ces formes fugitives, ces jeunes filles, ces fantômes, ces énigmes flottantes et ricaneuses n'auraient plus de pouvoir sur moi.

Le hall était vide mais j'ai trouvé un bouton qui servait à appeler le personnel de nuit. Des lueurs moiraient le fleuve. Le ciel était strié de bandes bleu pâle, rose pâle. Mais la vue était gâtée par le terrain de stationnement de l'hôtel, les lampadaires au néon. Encore du paysage gaspillé. Architectes insouciants, promoteurs incultes. Incurie générale.

Une jeune fille a fini par sortir des bureaux de la direction, toute coiffée et maquillée. J'avais l'impression qu'elle avait peur et j'ai demandé sèchement si elle pouvait faire la note, en donnant comme prétexte un appel d'urgence. Ma voix était brusque et méprisante. Une vague d'insensibilité montait en moi. Cette femme ne m'avait rien fait mais j'étais incapable de montrer la moindre amabilité. Le baromètre était déréglé.

Elle a allumé l'ordinateur. Elle n'y connaissait rien. Quelque chose ne fonctionnait pas. Il fallait faire le calcul à la main. J'ai sorti une carte de crédit. L'hôtel n'acceptait pas cette carte-là. Ses cheveux étaient attachés en chignon, luisants. J'aurais frappé au mur sa tête d'oiseau. Je suis sorti en poussant violemment la porte. Mais c'était une porte qui ne claquait pas.

Un chat jaune dormait sur le tapis. Je lui ai donné un coup de pied, il a détalé, s'est retourné pour me regarder. J'ai couru après ce chat dans le terrain de stationnement, je l'ai chassé avec des chhhh féroces jusqu'à ce qu'il disparaisse. J'avais mal fermé la vitre, la banquette était trempée.

Mettre le contact, actionner les essuie-glaces, allumer la ventilation, boucler la ceinture, démarrer. Direction Rivière-du-Loup. Enfant, je pensais qu'un loup habitait la rivière du Loup. Un loup doux et roux comme le son « ou » et sa règle de grammaire, maternelle kyrielle des hiboux, choux, genoux qui prennent un x au pluriel pour nous protéger eux aussi de la folie. Un peu plus loin, j'ai bu un café.

L'aiguille de la jauge à essence oscillait, hypersensible. Des cahots invisibles faisaient trembloter le niveau de l'essence et se transmettaient à cette stupide aiguille du tableau de bord, sur une route québécoise. Le jour était levé. J'étais si crispé qu'il me semblait devoir décider de chaque respiration, l'une après l'autre.

Dans les champs, des lambeaux de brouillard couraient, s'étalaient en nappes. Je conduisais trop vite. J'ai freiné dans une courbe. On ne voyait plus les panneaux de signalisation et je venais de m'enfoncer dans un banc de brume. Je ne voyais plus rien. Les rayons des phares butaient contre la fumée blanche, opaque. Des ruisselets se formaient sur mon pare-brise, allaient se défaire à tout jamais dans les recoins. Il s'est mis à pleuvoir. La pluie martelait le toit. J'étais passé ici la veille mais il était impossible de rien reconnaître. Des granges à l'abandon, les universelles roulottes sur leurs pilotis surgissaient près de moi, disparaissaient aussitôt. Je me suis adossé. J'allais trop vite. J'ai tenté de me détendre en décrispant méthodiquement chaque doigt, l'un après l'autre. Absolument ralentir. On ne distinguait plus les balises en bordure de la route, les accotements. Même plus les lignes de peinture. Ralentir. Mais je ne ralentissais pas. C'était plus fort que moi. Une poussée de l'intérieur, dangereuse. J'enfonçais la pédale. Une puissance tangible me démunissait de ma volonté. Me dessaisissait de ma raison. Je *me voyais* accélérer, foncer droit devant, quitter la route, abandonner le volant. La voiture dérapait, tombait dans le fossé, culbutait. Paf, crac final, tohu-bohu. Dans le fossé un grand vide enchanteur et morbide m'attirait. Le désir de tomber. Une pulsion. Une sorte de volupté. Une acmé. Quelque part entre Rimouski et Rivière-du-Loup. Abandonner la maîtrise de sa vie. Se laisser tomber dans le fossé comme un enfant déboule la colline.

Je me suis arrêté au bord de la route. La panique était finie. « Panique » vient du grec *pan*. Qui veut dire « tout ». L'origine des mots, les règles de grammaire me protégeaient. Je venais de me rapprocher d'une clôture invisible au-delà de laquelle les mots n'ont plus de pouvoir, une frontière que je n'avais jamais approchée d'aussi près.

Le notaire. Je me raccrochais au notaire. Les notaires administrent, entendent la voix des morts peut-être.

À la radio, j'ai trouvé un poste de chansons western et j'ai roulé sans penser, jusqu'à l'embarcadère. Je cherchais une cabine téléphonique, le numéro de téléphone du notaire Dubuc. Mais c'était l'heure d'embarquer. Le bateau qui fait la navette entre les rives du fleuve était là. Un soleil pâle perçait les nuages, irisait une tache d'huile. Cette tache d'huile, les couleurs fluorescentes dans l'eau, le fait d'être là, tout semblait tellement contingent, tellement irréel.

J'ai payé mon passage et la sirène a crié. Le soleil était de nouveau caché. Une bruine restait en suspension dans l'air.

Poulies, cordages, écoutilles. Matelots dans leurs cirés noirs. Plaisir des clichés et des trajets touristiques. Images d'enfant. Du solide, quand tout se liquéfie. On respirait un crachin froid. Les gouttelettes mouillaient tout, pénétraient les vêtements. Des bruits de cuivre se réverbéraient dans les soutes. Des passagers mal réveillés étaient accoudés à la rambarde. Trois femmes encapuchonnées de plastique transparent, qui s'en allaient en pèlerinage, m'ont salué avec cette familiarité oppressante, comme si on se connaissait depuis longtemps. Elles avaient été institutrices et maintenant elles

profitaient de la vie. Elles riaient aux éclats. Des
petites filles. Leur visage était luisant de savon, sans
rides. Fleurs non cueillies. Deux hommes habillés
de la même façon, pantalon vert pâle, chemisette
jaune pâle, sont venus les rejoindre. Des frères
enseignants, des religieux sans aucun doute. Un
monde asexué, androgyne, sans tension. Une pile
morte.

L'eau était glauque et opaque, presque noire. Je
suis rentré dans la cabine. J'aurais dû téléphoner à
ce notaire Dubuc. M'annoncer. Le nom du notaire
était un rocher, un roc de réalité. Dans ma poche,
j'avais encore le billet de Sarah, plié. Le message
oblique m'atteignait par intermittence.

Un homme dépenaillé s'est assis en face de moi.
Il avait une barbe grise mal taillée, le teint rouge.
Il transportait un sac-poubelle bourré de vêtements
et il en a sorti un thermos. Une mèche grise semblable à la mienne tombait sur ses yeux. En fuite ?
En vadrouille ? Alcoolique ? Amnésique ? Je l'en-
viais. J'aurais aimé être lui. N'importe qui. Disparaître. Mettre ma vie dans un sac-poubelle et
marcher.

Des mouettes escortaient le bateau. Quelques
minutes plus tard, on demanda aux automobilistes
de retourner à leur voiture. Une secousse légère, des
bruits sourds. On venait d'accoster. La traversée de
« la mer » avait duré exactement quatre-vingt-dix
minutes.

Sur la rive nord, le paysage est immédiatement

plus dur, sauvage et escarpé. Il était tôt encore. Je me suis arrêté au bord de l'eau, faire des photos.

Chaque été, on venait en pique-nique ici. Une loi devait interdire le changement: ici, ni affiches au néon ni roulottes. Cinq, six maisons blanches ou grises incrustées dans le silence. Un torrent qui dévale et se jette dans la mer.

On apportait des sandwiches, on jouait dans les rochers. Mais jamais ma mère n'avait accepté de retourner dans son village. C'était pourtant juste un peu plus loin.

RIVE NORD

L e notaire habitait le rez-de-chaussée d'une maison adossée à la roche de la montagne. Bureau à l'étage. Escalier étroit à l'extérieur. Le timbre de la sonnette, grêle, ancien, a retenti longtemps dans le silence. Sa mère est venue m'ouvrir. Ses cheveux blancs, longs et lisses, tombaient sur ses épaules comme ceux d'une jeune fille. Ses yeux délavés, exorbités, rayonnaient sans raison, comme si elle voyait autre chose et n'appartenait plus tout à fait au même monde que nous.

Il fallait prendre un rendez-vous, mais j'ai expliqué que j'étais de passage, que je retournais à Montréal, et elle m'a fait asseoir en m'indiquant un fauteuil sculpté. Une lampe Tiffany rose éclairait une table en marqueterie. Dans le soleil qui passait derrière les tentures, s'élançait un Mercure ailé en bronze. Les rayons irisaient les carreaux biseautés de la porte. La poussière flottait. On entendait le tic-tac d'une horloge. Un monde fané, défraîchi, en retrait.

Le notaire devait avoir une cinquantaine

d'années. Il était obèse et pourtant il marchait à petits pas rapides, presque en sautillant. Sa respiration sifflait. Mauvaise santé. Asthme sans doute. Son bureau était fermé par une double porte capitonnée. Une odeur épaisse de cigare, de cigarettes, d'encre et de papier vous prenait à la gorge. Au-dessus de la cheminée, deux visages sévères, empreints d'une déception sans bornes, recevaient le client. C'étaient les personnages du peintre Jean-Paul Lemieux.

« Monsieur Santerre ? »

Il toussotait, parlait si bas qu'il fallait tendre l'oreille.

« Vous venez au sujet de ma cliente ? Mme... Michelle Roche...

— Oui. Je suis un ami d'enfance de Mme... Michelle... Roche. J'ai appris récemment, par hasard si vous voulez, qu'il y a une vingtaine d'années, dans des circonstances que j'ignore, elle m'avait nommé son exécuteur testamentaire, et cela sans me prévenir. Et que vous étiez son notaire. Du moins, que vous l'avez été. Vous l'êtes encore ? »

Il n'a pas répondu. Il semblait pourtant favorable à ma présence. De la bonté, une ombre de compassion dans ses yeux m'encourageait à continuer. Le sentiment d'irréalité était de plus en plus fort.

« Je passais par ici et j'ai pensé vous consulter, vérifier l'information. Ou plutôt, ai-je ajouté, devinant un mouvement de sa part, vous demander d'abord, bien entendu, si cela est possible. Je respecte le secret professionnel. Pour être franc, j'ai été un ami de Michelle Roche quand nous étions enfants. Puis je l'ai perdue de vue. Le document date de vingt ans. Regardez. Il peut être périmé, avoir été remplacé par un autre, je ne sais pas. Je me suis demandé si vous pouviez m'apporter des lumières... complémentaires...

— Excusez-moi : vous êtes venu de Montréal pour cela ?

— Non, non ! Je passais par ici. J'ai saisi l'occasion.

— Bon. »

Il me considérait d'un air pensif, sympathique. « Il est possible que Mme Roche ait laissé savoir, d'une façon ou d'une autre, à un moment ou à un autre, qu'elle désirait que vous preniez soin de ses affaires en cas de décès. Si vous permettez, pourquoi est-ce que vous ne vous informez pas directement auprès d'elle ? »

J'avais prévu sa question. J'ai répété que j'avais cessé de fréquenter Mme Roche depuis des années, que je ne savais pas exactement ce qu'elle était devenue et que je ne voulais pas me réintroduire dans sa vie. J'avais des raisons de croire qu'elle ne tenait pas à me revoir. Et je ne voulais pas la revoir. Je réfléchissais en parlant.

« Si je relis ce qu'elle a écrit, eh bien... voyez-vous, je pense que cela veut dire que nous n'avons pas besoin de nous revoir... vivants. Enfin, de nous revoir, quoi.

— Vivants ? » Il m'a regardé de nouveau. Cela

n'avait aucun sens. Pourtant, je me comprenais mieux, tout à coup. Michelle était le début, et donc nécessairement la fin de ma vie. Je ne pouvais avoir aucune certitude, ni discerner clairement le sens de ce que je venais de bredouiller, mais tout était un peu plus simple, un peu plus ferme depuis que je m'adressais à voix haute à ce notaire. Il attendait poliment que j'ajoute quelque chose.

«Je l'ai perdue de vue. Pour une raison que j'ignore, dans des circonstances que j'ignore, elle a pensé à moi. Cela m'a touché. On reste... sensible au passé?»

Il a hoché la tête. J'ai ajouté plus bas, pour alléger un peu le ton: «Entre elle et moi les choses se sont toujours déroulées de cette manière. Quand elle me demande quelque chose, j'obéis.» Je pesais mes mots et je savais, à cet instant, que le moindre mensonge serait détecté. «Les désirs de la reine sont des ordres, vous voyez?»

Ce notaire donnait par moments l'impression de transporter l'univers sur son dos. Il a chuchoté, à bout de souffle: «Je ne sais pas comment vous avez appris ce que vous me dites, mais il est hors de question que je vous réponde.» Il semblait presque s'excuser.

«En ce qui me concerne, je n'ai pas à dire quoi que ce soit avant le décès. Or rien de tel, heureusement, n'est survenu!

— Quand on a vécu avec quelqu'un dans les premières années de la vie, on connaît intimement cette personne. Sur cette base, il m'a semblé qu'il y avait un message. Un... appel détourné peut-être, si vous voyez ce que je veux dire. Un appel qui s'ignore, même. Un appel ancien. Ma mère est née ici. La mère de Michelle Roche et ma mère se considéraient comme des sœurs. Et Michelle est un peu dans mon esprit une... parente. Vous connaissez probablement la famille. Gagnon...»

Son regard s'est allumé. Il s'est approché par-dessus la table en faisant craquer ses jointures: «En effet, oui. Comment s'appelait donc votre mère?

— Ma mère était... orpheline. Elle a été élevée par la grand-mère de Michelle.

— Ah?

— Je suis venu aussi à cause de la fille de Michelle. Sarah. Ce serait trop long à expliquer. Ma mère est morte récemment, j'ai cru, peut-être à tort, remarquez, que quelqu'un avait besoin d'aide, je ne sais pas, excusez-moi. Ce n'est pas très logique.»

Il m'écoutait avec attention. J'étais gêné tout à coup et je voulais partir. On ne pouvait pas deviner ce qu'il pensait. Cravate de soie, bas de fil, souliers anglais... Il habitait si loin des villes d'où provenaient ces vêtements, ce mobilier, tout ce qu'il aimait. Ses lèvres étaient minces, avec une expression un peu dépravée peut-être. Il feuilletait un dossier. Celui de Michelle?

Au bout d'un moment, il a parlé lentement, avec les phrases claires et charpentées des gens de loi: «La vie est bizarre. Il se trouve que des arrangements qui sont du domaine public et qui avaient été pris il y a longtemps auprès de mon père par le père de votre amie, un arpenteur plutôt original, ont récemment été... reconsidérés. Vous auriez pu l'apprendre autrement que par moi. J'ai pensé que c'était cela, peut-être, qui vous amenait. Une affaire de succession dans la région du Saint-Maurice. Vous pouvez consulter les journaux, l'affichage public. Adrien Roche, le père de votre amie, avait là-bas une vaste propriété à laquelle il tenait comme à la prunelle de ses yeux, pour des raisons sentimentales. Il y est mort en 1959, dans des circonstances qui n'ont jamais été élucidées, probablement d'un arrêt cardiaque. C'est une femme de Sanmaur, une Allemande qui faisait de l'élevage et qui gardait ses chiens de chasse, qui a retrouvé son corps dans le bois. Les gens ont dit que c'était sa maîtresse. Peu importe. Par testament, Roche laissait en fidéicommis un montant suffisant pour administrer les taxes et dépenses relatives à sa propriété pendant trente ans suivant son décès. Seule sa fille était autorisée à y chasser et à y pêcher. En aucun cas la propriété ne devait être vendue ou divisée. Après trente ans elle revenait aux enfants, lesquels devaient la transmettre à leurs enfants, et ainsi de suite. Avec les années, comme vous l'imaginez, le domaine a pris de la valeur... En ce moment, des promoteurs veulent l'acheter et ils ont communiqué avec moi. Ce dossier dormait depuis 1959. Et voilà, vous vous présentez, à propos d'une personne à qui j'ai parlé il y a encore quelques jours. La coïncidence m'a surpris. Je pense être en droit de vous rassurer : j'ai vu votre amie. Je l'ai vue et elle m'a semblé se porter normalement, pour autant que je puisse en juger. Elle a tenu à venir ici avec son mari. Cela n'était pas nécessaire, mais elle en avait envie. On prétend que nous vivons dans la plus belle région du pays ! Enfin. Déjà, je fais un accroc à la discrétion. Téléphonez-lui, voyons ! »

Il avait refermé le dossier. « Vous pouvez être convaincu qu'il n'y a rien, à ma connaissance, qui pourrait motiver des inquiétudes... pour elle ou pour sa fille. Vous savez, le secret professionnel n'est plus ce qu'il était. Au palais de justice de Montréal, les avocats travaillent dans de grandes salles sans cloisons et tout finit par se savoir. Il n'y a pas de secret qui tienne. Mais puisque vous me demandez quoi faire, j'insiste : si j'étais vous, je n'hésiterais pas à communiquer avec elle. Mrs. Allen. Elle a épousé un major de l'armée canadienne et elle habite maintenant la base militaire de Saint-Hubert, près de Montréal. En général, les contrats de mariage ont des clauses testamentaires. De toute façon, le papier que vous me montrez n'a pas de valeur légale. C'est une disposition ancienne. Tout peut s'expliquer en cinq minutes au téléphone. Ou écrivez ! Après tout, vous êtes en possession d'un document ou d'une copie de document qui a pu, qui pourrait théoriquement impliquer de votre part un éventuel engagement moral et financier. La chose est toutefois peu probable et vous devez admettre qu'il ne serait pas vraiment rationnel d'en supposer la réalité possible. Vous restez cependant tout à fait en droit de connaître la vérité. Si j'étais vous, je demanderais donc à Mme Allen si les informations sont encore valides! C'est simple. Elle va vous répondre. On a toujours avantage à communiquer directement, vous savez. Peu importent les sentiments qui ont pu vous lier. Nous ne traitons pas des sentiments, mais... disons, de leur trace.»

Il cherchait à m'aider. Il n'en savait pas plus que moi, mais il ne me prenait pas pour un fou et ne jugeait pas mes questions stupides. On sentait en lui une certaine expérience des êtres humains, le respect de l'opacité des autres.

Michelle était venue ici. Elle s'était assise dans ce bureau, elle avait parlé à ce notaire. C'était assez. Je ne voulais pas m'approcher davantage. Pour moi, c'était clair: je ne lui téléphonerais jamais. Je ne savais pas pourquoi, mais c'était comme ça. Ce que je cherchais n'était pas ce que je semblais chercher... J'avais mon idée. J'irais là-bas. Le notaire avait mentionné un nom de lieu. Or ce village, je le connaissais bien. C'est l'endroit où, chaque année, je monte à la chasse à l'orignal. Et je ne m'étais jamais rendu compte qu'il était si proche du fameux lac Michelle.

Il a dit encore: «J'ai déjà trop parlé. Les transactions auxquelles j'ai fait allusion sont du domaine public. Renseignez-vous.» Il s'est extirpé de son fauteuil. Je me suis levé aussi.

On jouait du piano quelque part. Un nocturne de Chopin. J'ai dit que la mère de Michelle avait l'habitude de jouer ce morceau.

«C'est ma mère qui joue. La mère de votre amie

et la mienne ont appris le piano de la même religieuse. Toutes les jeunes filles, à cette époque, dans un certain milieu, faisaient du piano. Ma mère a bien connu ses parents. Mon père était leur notaire. Venez. Je vais vous présenter. Cela va lui faire plaisir. Vous avez froid? Vous boiriez quelque chose?» Il avait déjà sorti deux verres à liqueur et une flasque du buffet. Mon cœur battait. Si cette femme avait connu Rose, elle avait dû connaître ma mère. «C'est du drambuie. Je vous en verse une larme, il est un peu tôt pour l'alcool. Mais c'est sucré. Cela va vous réconforter.»

Il me regardait d'un air perplexe. Puis, fixant le plancher, il s'est mis à réfléchir à voix basse: «Dans notre profession, nous sommes à même de vérifier que le passé est plus actif que nous ne le croyons. Nous vivons tous sous la loi du passé, souvent sans le savoir. Il peut se refermer sur nous. Il ne faut pas avoir honte de cette sensibilité, voyez-vous. Elle n'est pas toujours maladive. Elle est naturelle. Nous sommes le résultat du passé! Il arrive tous les jours qu'un acte enregistré il y a longtemps crée une commotion. Non par ses conséquences réelles ou actuelles, mais par le volcan qu'il réactive. Nous sommes fragiles. Nous ignorons nos failles. Des décisions prises par les défunts nous touchent, nous rappellent des deuils anciens, nous obligent à les revivre. J'observe cela tous les jours. Les testaments, les héritages, toutes ces dettes que les vivants ont envers les morts sans pouvoir payer en retour... Comment serions-nous libres, n'est-ce pas, avec ces morts dont les décisions nous côtoient et nous poursuivent longtemps, pour nous aider parfois mais aussi pour nous persécuter longtemps après avoir disparu ? Oui, je vous assure que cela est possible. Et nous ne pouvons rien faire, sinon accomplir parfaitement leur deuil. Il ne doit rien rester. Pas une bactérie. Sinon, nous sommes prisonniers. Parfois, l'absence de pardon se répercute sur plusieurs générations. J'ai vu cela très souvent. Je vais chercher ma mère.»

Il s'était laissé aller. J'ai supposé qu'il lui était arrivé quelque chose, qu'il était en deuil aussi. Il avait besoin de parler. J'avais dû survenir au moment où il touchait le fond d'une solitude impossible à supporter. Quelque chose comme ça.

L'énigme que sont les autres, la curiosité qu'ils soulèvent périodiquement dans notre vie, comme un lourd rideau qu'un vent écarte et qui se referme aussitôt, nous rappellent le mystère que nous sommes chacun pour nous-mêmes. Michelle était le signe d'un caprice absolu, de la contingence de la vie. Rien de plus. Rien d'autre. Elle me ramenait à moi-même comme on tombe sur son image dans une vitrine, et telle est peut-être la fonction des autres dans la vie. Nos routes s'étaient croisées. Nous provenions du même fonds. Le notaire avait mentionné le nom d'un village, et moi j'allais là chaque automne depuis des années sans me rendre compte que, si on passait par la forêt, le lac Michelle se trouvait à côté de la réserve de W. où était né Martin. Une forme, un sens, une structure nette se dessinait dans mon esprit.

Dans notre jeunesse nous sommes curieux de connaître les autres. Ensuite, nos amis, nos parents, nos enfants mêmes, ceux qui nous ont engendrés physiquement ou spirituellement, ceux que nous avons à notre tour engendrés, nous avons l'impression de les connaître. Mais ils se séparent de nous. Ils continuent un moment à voyager avec nous. Nous continuons à les fréquenter, nous connaissons encore les grandes lignes de leur vie, on nous parle d'eux quelquefois. Mais guère plus que des morts. Et il n'y a donc plus tellement de différence alors entre morts et vivants. Nous en venons à entendre la voix des morts de plus en plus fort en nous. Jeunes, nous refusons d'écouter, nous ne voulons considérer que nos contemporains. Mais à un certain moment la courbe de la vie se retourne et nous percevons la présence des morts aussi distinctement que celle de nos contemporains.

Sarah n'était que le passage vers Michelle, et Michelle n'était que le passage vers les morts. Comme lorsqu'on roule le long de la mer en suivant la côte, elle m'avait amené insensiblement à ce bureau de notaire, à ce notaire, dans le village de La Malbaie où était née ma mère, et j'étais pour ainsi dire prêt à recueillir la voix des morts.

Les rivages de certaines côtes offrent des structures régulières, qu'on appelle en science des «fractales». Une fractale est un être géométrique de forme découpée et ramifiée. Si l'on agrandit un détail du motif, on retrouve le motif tout entier.

J'avais suivi les méandres d'une mémoire fractale. Un motif se répétait et, comme dans une fractale, la densité décroissait à mesure que l'échelle s'agrandissait...

La mère du notaire allait, ce jour-là, m'en apprendre beaucoup sur ceux qui m'ont précédé dans la chaîne humaine. Je suis resté quelques jours à l'hôtel, un «manoir» dont ma mère a toujours vénéré la réputation sans y avoir jamais mis les pieds. Si elle avait su que sa mère avait travaillé là, elle en aurait tiré beaucoup de fierté. En ce moment, des relations de travail pourries minaient la réputation du manoir et déchiraient la région. Des employés avaient constitué un syndicat. Ils avaient été licenciés, remplacés par d'autres, leurs cousins, leurs frères. L'affaire avait dégénéré, la fédération nationale s'en était mêlée. Mais le patron était un enfant du pays. Il était né en face sur l'autre rive, et il rêvait d'acheter ce château qu'il apercevait de loin, par beau temps.

J'étais seul dans le manoir déchu. Un ou deux employés au statut ambigu assumaient le service. Les corridors étaient vides, les chambres inoccupées, sinon par d'invisibles locataires qui se faisaient monter leurs repas et dont les plateaux, déposés le matin devant des portes fermées, étaient encore là, vides, le soir.

Je marchais dans les parterres déserts, je flânais à la terrasse vitrée. Des plantes en pots jaunissaient. Le soir, un pianiste divertissait des membres de clubs de l'Âge d'or de passage. Il improvisait, sur des thèmes connus, des variations désuètes.

La mère du notaire était plus vieille que la mienne et elle se rappelait très bien le soir d'hiver où ma mère avait été amenée par le curé. Elle se souvenait de ce bébé dont la mère était morte, trois jours après sa naissance, en ayant juste le temps de lui donner un prénom et sans dire qui était son père. Apprenant la nouvelle, un homme du village voisin était allé à Québec commander un chapelet de roses, puis il était revenu se pendre dans une grange. Mais un Américain de New York, qui jouait au golf et pêchait le saumon ici, était lui aussi amoureux de ma grand-mère. Et il y avait d'autres jeunes gens. Ma grand-mère ne savait ni lire ni écrire mais elle était très belle. C'était une révoltée, une insoumise, une « sauvageonne ».

Le curé avait demandé aux Gagnon de recueillir l'orpheline. La mère du notaire se souvenait de cet événement peu commun de sa propre enfance, car elle avait senti à quel point nous sommes vulnérables. Ce bébé, que serait-il devenu si personne n'avait voulu l'adopter ?

C'était une de ces vieilles femmes qui font de la généalogie et qui collectionnent les monographies de paroisses, les photos et les débris du passé. Elle est allée chercher un portrait de ma grand-mère dans ses affaires. Une image que ma mère, je pense, n'a jamais vue. Des cheveux en bandeaux encadraient un visage pâle et flou. La bouche avait quelque chose de sensuel que le visage de ma mère ne possédait pas. Le regard étincelait, bravait le photographe. On voyait bien, par cette photo, que ma grand-mère était une de ces femmes sûres d'elles-mêmes, indépendantes, qui se fichent de ce qu'on pense d'elles, qui ne se demandent pas si on les aime. On disait au village qu'elle était aussi belle que Sarah Bernhardt. Son Américain millionnaire aurait tout donné pour l'emmener à New York. Personne n'a su avec certitude qui était le père de l'enfant : l'Américain, ou le riche et cultivé jeune homme du village voisin qui venait la voir en habit de soirée, au manoir, ou un autre notable ? À l'accouchement, elle avait attrapé une méningite foudroyante. Après l'enterrement, son père s'était enfui en Californie. Il ne restait qu'une cousine, mariée à un gardien de phare, qui avait refusé de prendre l'enfant. Le reste de la famille était dispersé. Le curé leur avait écrit, il n'avait jamais eu de réponse. Des gens durs, que la misère avait rendus insensibles. « Votre mère a certainement eu de la chance. On ne faisait pas de différence entre elle et Rose. »

Elle cherchait ses mots, se répétait, et elle s'est mise à me raconter une deuxième fois l'arrivée de ma mère dans les bras du curé, emmaillotée dans une couverture de carriole. On avait allumé le four pour la réchauffer. Mme Gagnon avait bercé l'enfant, chanté pour elle toute la nuit et, au petit matin, la petite s'était calmée. On avait nourri ma mère de bouillie d'eau et de farine sucrée. Puis le souvenir de son arrivée dramatique s'était estompé, tant elle était sereine et paisible. Quand elle est arrivée à ce détail, disant combien ma mère était une fillette joyeuse et qu'on avait peu à peu oublié qu'elle n'était pas de la famille tant son intelligence et son charme avaient séduit tout le monde, j'ai senti que j'allais pleurer. Nous sommes allés dans le jardin. J'ai admiré la plate-bande, sombre, ancienne, le jet d'eau, le bain d'oiseaux. Je me suis excusé de ma sentimentalité, due à la mort récente de ma mère et au peu que je savais de son histoire, de sa «préhistoire» plutôt. Et ce contact direct, tout à coup. Trop direct. Il y avait aussi une photo de l'homme qui, en apprenant la mort de ma grand-mère, s'était pendu dans une grange. Mon grand-père? Un garçon aux yeux doux et mélancoliques, aux cheveux lisses, qui portait des lunettes. Il avait écrit des vers d'une grande noirceur sur la Conquête anglaise, la trahison de la France, les paysages de la région. Il avait aussi publié une série d'articles sur l'écrivain français Mistral et un mouvement littéraire visant à restaurer la langue provençale comme langue de culture.

C'était une femme intarissable. Ce monde irrévocable avec ses trous, ses saillies, m'appartenait et me définissait obscurément. J'étais peut-être le petit-fils d'un poète romantique? Celui d'un riche Américain? Qu'est-ce que cela pouvait changer? Dans un puits sans fond se trouvait la définition de ce que j'étais.

Selon une théorie récente, un battement d'aile de papillon en Chine peut entraîner une catastrophe écologique en Amérique. C'est exactement ce que j'ai pensé: un battement d'aile de papillon me parvenait à travers le temps. Un effet papillon psychologique. Des événements qui s'étaient passés bien avant ma naissance, que je ne connaissais pas, avaient influencé mon caractère. Un jeune homme riche et neurasthénique, une belle analphabète, un village perdu. Une petite fille abandonnée, ma mère. Mini-drames, événements sans portée, secrets que personne n'a trahis, dont personne n'a été capable de parler : la petite histoire apocryphe avait modelé ma façon personnelle d'aimer. Il m'avait été donné, accordé par le hasard d'en sentir le poids léger, la marque délicate. Si j'avais vécu ailleurs, si je m'étais exilé dans une cité, sans racines et sans mémoire, j'aurais probablement été délivré de ma dette, j'aurais peut-être été un de ces hommes au cœur léger, qui embrassent librement leur vie et se sentent d'emblée maîtres de leur logis. Ma mère, elle, avait décidé de repartir de zéro. Mais elle avait gardé une parcelle du passé dans le présent, une bactérie : son amie Rose, son amour pour le fleuve. Et par ce filon, tout le passé revenait.

Nos sentiments sont des vêtements usagés, passés de génération en génération. Nous les portons comme s'ils étaient neufs et nous découvrons un jour qu'ils ne le sont pas du tout. Leur patine, des reprises invisibles avaient échappé à notre regard. Nous croyons aimer, haïr. Mais les autres avant nous aiment encore en nous, à travers nous. Des sentiments sincères se révèlent tout à coup construits, des corps étrangers. On dit « je t'aime ». On est sincère. Mais qu'est-ce qu'un homme qui parle ? Qu'est-ce qu'un homme qui aime ? Qu'est-ce que la sincérité ? Je ne le savais plus. Aimer ne veut pas dire la même chose selon ce que j'ai été, ce que l'autre a été. C'est l'énigme qui nous conduit, nous pousse en avant à la poursuite de nos propres traces, nous construit. La mère de ma mère venait d'acquérir un visage. J'ai scruté longtemps l'image : les cheveux lisses, la pose altière, l'œil farouche de ma grand-mère me regardant. Ma mère n'avait pas connu cette étrangère. Elle avait voulu rompre avec tout ça. Sortir tout armée de la tête de Jupiter à sa façon. Je l'admirais. J'approuvais de toutes mes forces cette infidélité dont j'étais l'enfant.

Les vases communiquaient. Un visage venait de prendre forme en amont de sa vie, un visage et un ventre, un ventre fécondé par un inconnu, et dans quelles circonstances ? Pouvons-nous imaginer le plaisir des autres générations ? Le plaisir des morts, le désir des morts dont nous sommes issus et qui nous a tirés du néant ?

Comment ai-je pu éviter de voir que la mort elle-même me faisait signe ? Comme une amie avec laquelle on se serait brouillé, que l'on ne voudrait pas revoir, à qui on ne voudrait pas parler, qui se rapprocherait lentement de nous dans une réception mondaine, mine de rien, riant avec l'un et l'autre et venant peu à peu vers nous, qui l'attendons sans l'attendre, sans savoir si oui ou non nous voulons lui parler, renouer avec elle.

L'hôtel allait fermer. Le troisième jour, seul devant la nappe damassée, les fleurs flétries, les poires blettes, j'ai quitté la table, réglé la note. Je ne voyais plus ce que je faisais dans un faux château livré aux araignées, aux chauves-souris et aux fantômes. Les morts étaient morts.

Je suis tout de même allé saluer le notaire et sa mère, qui m'a invité à m'asseoir. Elle avait une dernière chose à me confier, même si cela ne pouvait évidemment rien changer.

On disait que Mme Gagnon avait découvert un jour que l'enfant adoptée était l'enfant de son mari. Elle avait été si insultée qu'elle s'était réfugiée au couvent auprès de sa sœur religieuse. On l'avait gardée quelques semaines puis elle était revenue chez elle. Ma grand-mère avait eu le temps de faire baptiser sa fille et de confier au curé que le père du bébé était Arsène Gagnon, qui aurait été plus ou moins obligé en confession de recueillir l'enfant. D'après la mère du notaire, Rose connaissait le secret. Je n'étais pas surpris. Ma mère et elle étaient des demi-sœurs. Michelle et moi étions des cousins. C'était logique. Prévisible et logique. Cela ne changeait pas grand-chose. Cela confirmait sans les éclairer la nature de nos relations. Et sur le coup, j'ai pensé que ma mère n'avait jamais entendu cette version du secret. Je me sentais soulagé de ma dette, tout simplement.

J'avais décidé de partir et cela ne m'atteignait plus. J'étais redevenu subitement dentiste, mari, père, citoyen. L'édifice de ma conscience venait de resurgir en bloc et j'ai téléphoné chez moi. Je voulais dire à Nicole que je tenais à elle. Que je l'aimais. Je voulais lui rappeler une semaine que nous avions passée à Venise, dans un hôtel où a déjà séjourné John Ruskin. Un rêve. Nous allions retourner là-bas. «Tenter de vivre», comme dit Valéry. Comme dans *Le Cimetière*... Si à ce moment précis elle s'était trouvée à la maison, je serais peut-être rentré directement et je n'aurais peut-être pas écrit cette histoire. Nous aurions peut-être décidé de partir tous les deux à Venise, à New York ou ailleurs où je n'irai jamais. Au Japon! Cela n'aurait rien changé à l'horloge biologique. Je me serais fatalement retrouvé ici, à l'Hôtel-Dieu de Montréal. Mais Nicole n'était pas à la maison. J'ai laissé un message sur le répondeur : «Tout va bien. Je suis à La Malbaie. Je vais m'arrêter à La Tuque, voir Gaston Therroux. Je reviens dans deux, trois jours.»

Il était deux heures de l'après-midi. J'en avais pour cinq heures de route avant d'arriver.

Des morts, des testaments turbulents : cela me paraissait romanesque. J'avais une idée. Je voyais une structure, une agglomération s'effilochant aux extrémités. Une forme se répercutant, allant du présent aux limites de ce que nous pouvons concevoir et imaginer. La brume du doute s'était levée dans ma tête. J'aurais pu revenir, laisser tomber cette intuition. Mais maintenant que je roulais vers le nord, cela devenait une présomption, une certitude.

L'histoire elle-même, cette fois, me poussait en avant.

LA FORÊT

Une route unique qui monte, raide, sévère, purgative. Aucun véhicule, aucun bâtiment, rien d'humain en vue devant ni derrière. Des cohortes d'arbres indifférenciés. Le ciel gris, dur. La palissade verte, compacte et sombre des conifères, comme un coffre d'odeurs. Fumée, goudron, résine. Les accotements étaient encore boueux, les fossés encore remplis de l'eau stagnante de la fonte des neiges. Ici, c'était l'hiver. J'étais seul, bien seul maintenant.

On n'a jamais fini de « monter ». Je suis déjà allé bien plus « haut », passé la frontière des Blancs. Mais jamais au nord de la toundra, dans les parages du pôle nord magnétique, au statut incertain. Je filais droit vers le village. Un trou, que par hasard je connaissais. Mon esprit était clair et déterminé, à l'image de la route : je m'en allais au lac Michelle. Le lac Michelle, quand j'étais petit, était un lieu aussi fabuleux que le lac Titicaca, le Grand Lac des Esclaves, la mer de Chine. On avait donné le nom d'une personne réelle, d'une petite personne que je connaissais bien, à un lac. Cela me semblait incroyable. Ce lac ne pouvait qu'être extraordinaire, je doutais parfois de son existence. Il me semblait aussi que je récoltais une partie du prestige, une part du pouvoir dévolu aux hommes supérieurs qui choisissent les noms des lieux. Michelle avait un lac à elle. Ce lac portait son nom. Et son père avait accompli cette œuvre pour elle. Dans mon enfance je n'ai jamais vu de lac, car nous n'avions pas d'automobile, et il me semblait qu'un monde où des individus pouvaient donner le nom de leur fille à des lieux si lointains n'avait aucune commune mesure avec nos trottoirs, nos petits appartements et nos tramways. Le lac Michelle n'est pourtant qu'un lac parmi les milliers qui trouent les étendues semblables à celle que je traversais. Mais j'ai toujours aimé faire la connaissance d'un nouveau lac. Chacun ressemble aux autres, et pourtant ce n'est jamais la même forme, le même rivage. Il y a des lacs masculins, des lacs féminins, des lacs jeunes, des lacs vieux, des lacs menacés, des lacs envahis, des lacs morts. Et tout ça forme un réseau lent, presque immobile.

L'endroit où je me dirigeais s'appelle le lac Sauvage, et il mérite son nom. Tous les automnes, depuis des années, j'y monte à la chasse à l'orignal. Le chef d'expédition s'appelle Gaston Therroux, et c'est chez lui que je voulais aller d'abord. Il me renseignerait. S'il était en état de le faire, il m'accompagnerait au lac Michelle. Il ne bougeait jamais de son repaire, et j'étais sûr de le trouver là-bas. Si quelqu'un avait entendu parler du testament du grand-père de Sarah et du lac Michelle, ce serait lui. Il a été longtemps le médecin bien-aimé de la région et, encore maintenant, il connaît tout le monde. Son destin a de quoi faire frémir et quelque chose en lui m'a toujours fait peur. Il y a plusieurs années, le Dr Therroux a été contraint d'abandonner sa pratique à cause d'une erreur de diagnostic qui a causé la mort d'une personne. Cela a fait un scandale. C'est un homme qui boit. Les gens le savaient, mais ils fermaient les yeux. L'inévitable est arrivé. Un jeune médecin l'a remplacé.

Therroux habite maintenant un camp en bois rond bâti dans une petite île rocheuse. Un lieu reculé, où l'on parvient après avoir roulé longtemps passé les toutes petites villes, sur une route forestière mal entretenue. L'alcool l'a peu à peu desséché, momifié, délivré de son corps. Il flotte, sombre, taciturne, d'autres fois allègre et joyeux, au-dessus, à côté du temps, sur une voie d'évitement. Sa femme et ses enfants l'ont quitté depuis longtemps. Il habite cette cabane qu'il rafistole constamment, de la manière la plus fantaisiste, inspiré par sa dive compagne.

Une demi-heure après avoir quitté les rives du fleuve, je me suis retrouvé dans un tout autre monde et j'ai commencé à ressentir l'effet que la forêt a toujours exercé sur moi. Car la chasse à l'orignal est bien plus qu'un sport, c'est une « expérience fondamentale », qui redonne le sens de la vie et de la mort. L'orignal est un sphinx. Avant de « tuer », les vrais chasseurs savent qu'on a une illumination, une certitude d'un degré inhabituel.

Toute trace de doute disparaît de l'esprit. On devine une présence. On sait qu'il y a quelque chose, juste à côté de nous, et ensuite seulement, dans un brusque réajustement de perception, apparaissent l'œil doux, la tête panachée, le corps immobile du géant. Therroux ne m'a pas seulement appris à chasser mais à reconnaître, par-delà la perception, la présence du gibier qui attend.

J'avais une intuition et je me laissais guider par l'intuition. J'étais sûr tout à coup qu'il y avait un lien entre ce que je venais de découvrir et la rupture entre ma mère et Rose en 1970. Ma mère avait dû apprendre le secret. Michelle devait savoir que j'étais son cousin. Elle m'avait confié sa fille en pensant que je le savais aussi.

Le moteur tournait, la route défilait, je fonçais droit devant, agrippé au volant. Tout cela était bel et bien invérifiable. Mais le vrai et le faux, la réalité et la fiction se fondaient dans la certitude des rêves éveillés.

Therroux me dirait si, oui ou non, le lac Michelle est relié par la rivière Saint-Maurice à la réserve indienne où Martin nous avait amenés, en 1967, quand Michelle avait été si malade. Si oui, cette convergence aurait la valeur d'une preuve. Rien d'autre ne m'intéressait.

La chaloupe n'était pas au bord du lac. C'était bon signe. Le chien aboyait. Therroux était donc chez lui.

Son île n'est qu'à deux cents pieds du bord.

L'hiver, on peut traverser sur la glace en cinq minutes. J'ai crié pour l'appeler. Ce n'est pas sans appréhension qu'on vient trouver un homme fini. Le contact avec un individu étranger aux jugements des humains inspire de l'effroi, et Therroux le sait. Comme un radar dans le brouillard, il dirige encore la chasse, et je n'ai connu personne capable d'imiter mieux que lui le cri de la femelle de l'orignal en chaleur, qui leurre le mâle. Mais il lui arrive de plus en plus souvent de passer de longues semaines dans des délires qu'on n'ose imaginer, sans communication avec le reste du monde. Dans ces cas-là, il vaut mieux ne pas déranger Gaston Therroux. Le jour où il s'est sauvé de la désintoxication pour se terrer dans la cabane de son grand-père, il a passé un seuil. Il n'a plus peur de la mort. Et il en est fier. Comme si, dans sa chute réglée, dans sa déchéance volontaire, honteuse aux yeux des autres, il était resté victorieux et libre à ses propres yeux. Un modèle. Le chef de l'expédition encore. J'avais besoin, probablement, de m'approcher d'un homme capable de défier ainsi la mort.

Il a entendu mon appel, m'a tout de suite reconnu, salué d'un geste, et il est venu me chercher sans se presser, en ramant lentement. On n'entendait que le grincement de l'acier et le bruit mou des rames entrant dans l'eau. À chaque coup, je pouvais observer la progression du ravage. Son visage était plus émacié, son regard plus fou, sa peau plus mince que la dernière fois. Je me réhabituais à sa figure spectrale.

Il était surpris, effaré lui aussi. J'ai compris plus

tard que ce n'était pas ma visite qui le déconcertait, mais bien de me voir. «Qu'est-ce qui se passe? Qu'est-ce que tu as? Ça ne va pas? Tu n'as pas l'air dans ton assiette, Santerre! Tu as maigri! Je n'aime pas ça. Je n'aime pas ton teint. Vas-tu chez le médecin, des fois?»

Je n'ai pas répondu. Je n'ai pas écouté. Les mots ont heurté mes tympans, mais je ne les ai pas décodés.

Chez lui, nous nous sommes assis l'un en face de l'autre pour parler. La nappe était sale, et la pièce en bois rond semblait un capharnaüm étrange. Mais je connaissais le désordre minutieux de Therroux. Le long des murs, tous les lits étaient défaits, comme s'il les occupait tous à la fois. Il n'a plus d'horaire depuis longtemps.

Il m'a fait du café et demandé ce que je voulais, quelle mouche me piquait, ce qui pouvait dans le monde m'amener ici à cette époque de l'année.

«Le lac Michelle, Adrien Roche, tu connais ça?

— Ah! L'arpenteur...»

Il ne disait pas «un arpenteur», mais «l'arpenteur». Il avait l'air de comprendre, maintenant, les raisons de ma visite. Le lac Michelle! Tout le monde en parlait. Une pétition circulait. Des villages entiers pestaient contre la stupidité, la prétention de l'arpenteur. Les maires faisaient pression à Québec. Ce testament allait faire échouer un plan de développement comportant une station de ski et ce qui accompagne généralement les stations de ski.

Une mine d'or. La compagnie qui voulait lotir des terrains et bâtir des copropriétés s'était heurtée au testament de l'arpenteur. Apparemment, il n'y avait rien à faire. La propriété devait être léguée et rester dans la famille. Elle ne pouvait pas être vendue. Therroux, quant à lui, semblait ravi : grâce à Roche, la forêt resterait intacte.

Mine de rien, il était flatté de ma venue, heureux de parler avec moi. Et maintenant que j'étais là, il ne me lâcherait pas. Il me fixait du regard et je savais que, s'il discernait une seule nuance de lassitude, d'inattention ou d'ennui dans mes yeux, il en serait insulté. Personne ne prend jamais la peine de consulter Therroux. On le considère comme fou. Pourtant, sa mémoire tient du prodige. Un bloc dur, épargné par le séisme.

En septembre 1959, l'arpenteur avait été trouvé mort, au lieu-dit du Barrage sauté. Décès en partie inexpliqué. Crise cardiaque, rupture d'anévrisme... Des chasseurs avaient certainement brouillé ses marques : le meilleur arpenteur de la province ne se perd pas dans son territoire de chasse. Des incidents du genre, la forêt en a vu des centaines, mais elle couvre tout. Aucune trace. Roche avait des ennemis. Il avait utilisé ses relations avec le parti au pouvoir pour changer le nom indien d'un lac et le rebaptiser du prénom de sa fille. Les Attikameks ne se gênaient pas pour chasser chez lui, pêcher au filet dans sa rivière. Pour combattre le braconnage, il s'était fait octroyer le statut de garde-chasse. Une petite guerre sourde, qui avait mal fini.

Je me souvenais de la mort d'Adrien Roche. Ma
mère et moi à Québec. Les obsèques. Un salon
rempli d'hommes graves, habits foncés et chemises
blanches. Les membres de la Société des arpenteurs
du Québec. Michelle à l'écart, debout, immobile des
heures durant devant le cercueil fermé. Elle portait
un tailleur foncé, un collier de perles. C'était mon
premier contact avec la mort. Ma mère m'avait re-
commandé de prononcer une formule de condo-
léances, et Michelle avait chuchoté : «Luc... c'est
encore ta mère qui t'habille, Luc?»

Et tout à coup, nous avions été aussi éloignés
l'un de l'autre que les anciens habitants du Saint-
Laurent qui, l'hiver, séparés par les glaces mou-
vantes du fleuve, faisaient des feux pour se saluer
d'une rive à l'autre. Son père était mort. C'était
elle, la veuve, et j'étais encore un petit garçon.

Sa mère s'est remariée peu après les obsèques.
Les gens ont jasé. Ma mère m'a amené à Québec
encore une fois, pour le mariage. Mais Michelle
n'était pas là.

À notre retour, nous avons appris que le premier
ministre venait de mourir subitement dans la forêt.
La ressemblance des deux décès, sans doute, a fait
de cet événement mon premier souvenir politique.

Selon mon père, tout allait changer. Un grand
vent soulevait nos vies. Comme durant l'été de
l'Exposition.

Sur les cartes topographiques de Therroux, j'ai
constaté que je ne m'étais pas trompé : la réserve

indienne jouxtait en effet le terrain de l'arpenteur, le lac Michelle et le fameux Barrage sauté. J'étais venu ici une dizaine de fois, mais je n'avais jamais fait le rapprochement... Ainsi la grand-mère indienne de Sarah et ses deux grands-pères venaient de ce petit périmètre découpé dans la forêt.

Sur la carte, on voyait très bien comment, du lac Michelle, on peut se rendre à la réserve de W. en suivant les rivières, en faisant du portage. Par la route, les deux endroits sont relativement éloignés, mais par la forêt, l'arpenteur et les Indiens étaient voisins.

Alors, quand nous étions venus en 1967, Michelle savait que nous approchions de l'endroit où l'on avait trouvé le cadavre de son père. Elle avait compris ce qui se rencontrait fatalement dans son ventre. La mère de Martin faisait partie de la bande de « chenapans » que son père haïssait et qu'il poursuivait en chaloupe à moteur. Qui sait ce qui est arrivé dans la forêt entre Roche et les Indiens ? Maintenant, j'étais sûr que Michelle avait voulu rentrer pour cacher quelque chose de précis. Elle craignait peut-être d'être reconnue par quelqu'un dans la réserve ?

J'ai expliqué à Therroux que j'avais connu la fille d'Adrien Roche et assisté aux funérailles de cet homme, dans la cathédrale de Québec, en 1959. Un hasard.

« Mais non ! Au contraire ! »

Il avait bien raison: ces redoublements, ces effets de miroir ne sont pas des hasards, mais des manifestations d'ordre, logiques dans un univers fermé, qu'il soit grand ou petit.

Je pouvais lire sur son visage, entendre dans sa voix combien parler avec moi et raconter ses souvenirs le soulageait. Les gens d'un certain âge, phagocytés par la fiction, déracinés du réel où ils n'auront jamais été que de passage, sont toujours rassurés par la preuve que ce qu'ils racontent a eu lieu hors de leur imagination. Leur vie, leurs contemporains, tout cela va bientôt s'exiler de la réalité, s'engager dans les tunnels, les galeries pleines d'impasses et de murs de la petite histoire. Je connaissais la fille de Roche. Nous étions deux... Cela nous assurait de l'existence du monde, de la nôtre...

«Dans ma jeunesse, on allait en excursion là-bas, au Barrage sauté.»

Il parlait lentement, maintenant rassuré. Je n'allais pas me sauver. Il buvait du rhum, à petits coups réguliers. Son père avait connu Adrien Roche au collège de Trois-Rivières. Une famille rendue légendaire par l'histoire du Barrage sauté.

«Le père d'Adrien Roche se prenait pour un inventeur. Il a eu un jour l'idée d'exploiter une chute qui lui appartenait, pour produire de l'électricité. On disait que l'électricité était l'avenir de la région. Il a fait venir une dynamo et une turbine à aubes de Chicago, creusé un réservoir, construit un petit barrage, et réussi à bricoler un système capable de produire suffisamment de courant pour éclairer, d'une seule ampoule, chacune des dix ou quinze maisons situées à la croisée des chemins. Il s'est cru millionnaire ! Bel homme, beau parleur, il a persuadé des notaires, des ingénieurs, des comptables d'investir dans sa compagnie. Il a fait déménager sa famille dans la métropole, il y a suivi des cours, puis il est revenu à la campagne et il a réussi à augmenter la puissance de son système. Mais l'automne suivant, après des jours et des jours de pluie, l'eau a débordé. Le petit Adrien lui-même, qui avait sept, huit ans à l'époque, a couru ouvrir les vannes du réservoir de sécurité. Il n'a pas été assez rapide. Toute la famille réunie a assisté à la destruction instantanée du royaume. Roche a fait faillite, il a vendu sa terre pour une bouchée de pain, et ils sont tous partis en ville. La mère est morte, les enfants se sont dispersés à droite et à gauche. Le père a fini ses jours comme simple ouvrier dans une usine de textile. Mais chaque année, le bonhomme Roche, vieilli, lunatique, amenait ses cinq garçons ici. Il leur faisait manquer une semaine d'école pour chasser « en haut de La Tuque ».

L'un était devenu annonceur de radio. Un autre, médecin aux États-Unis. Leurs enfants revenaient encore chasser ici. Leur cœur à tous était resté dans la forêt.

Comme pour saluer la grandeur du malheur, Therroux est sorti jeter sa bouteille vide dans le lac, en chercher une autre, avec un verre pour moi.

Le rhum aidant, ce récit, comme une décalcomanie, faisait apparaître tout un tableau. Les générations se reliaient, se répercutaient, et il me semble que j'éprouvais la même euphorie qu'un archéologue qui atteint une strate plus profonde dans son site et parvient à mettre ensemble deux fragments de son artefact, comprenant d'un coup que son hypothèse était la bonne et qu'il n'était pas fou.

Des cinq frères, le plus têtu, le plus acharné était Adrien Roche. Reçu arpenteur, son premier geste a été de racheter, à bas prix, le terrain du Barrage sauté. À cette époque, Therroux travaillait comme aide-arpenteur. Il avait entendu parler de Roche, l'avait même entrevu. Ce n'était pas un arpenteur ordinaire. Participer à ses équipées était un honneur, un titre de bravoure. Les mouches noires, les mouches à chevreuil, les maringouins, les brûlots, les guêpes malignes qui attaquent en bandes sans se poser et laissent l'humain sanguinolent et tuméfié, il ne les sentait même pas. Il était capable de passer des semaines seul. «Le Gouvernement» était son dieu. Pour établir ses bornes, marquer la forêt des repères de la civilisation, il était prêt à escalader des successions infinies de crêtes et de vallées sans noms, à marcher à travers marais et baissières, à franchir des rapides, à contourner des lacs entiers. Ses canotiers, les arpenteurs européens qui l'accompagnaient, les Indiens même désertaient ses expéditions. Mais lui ne renonçait jamais à poser une borne de plus pour agrandir et préciser le système topographique de l'Amérique du Nord. La forêt et son désordre étaient ses adversaires intimes.

Dans cette cabane aux vitres salies par les

chiures de mouches, aux carreaux brisés, certains
remplacés par un simple papier brun huilé, cet
hymne à l'ordre, proféré avec la voix éraillée de
Therroux, avait quelque chose de pathétique.
Planter dans le sol la marque d'un rapport établi
avec le nord magnétique, le nord géographique, le
grand système des méridiens et des parallèles de la
planète. Poursuivre le travail civilisateur des géo-
mètres égyptiens, babyloniens, grecs, que citaient
volontiers les comptes rendus d'Adrien Roche. Des
pièces d'écriture! Car l'arpenteur était aussi l'auteur
de la première histoire du bornage et de l'établis-
sement de la propriété privée en Amérique...
Après sa mort, son chalet est resté à l'abandon.
La fille n'y venait que rarement. La veuve, jamais.
Il a été occupé par des squatters, des métis. Les
jeunes y faisaient des virées. C'est devenu un lieu
mal famé.
Sa fille allait respecter le testament.
Elle ne voulait pas vendre.
«Et tu la connais!» Therroux ricanait.
«Le monde est petit, mon ami! Minuscule,
minuscule et dérisoire!»

Plus tard, j'ai consulté le livre qu'Adrien Roche
a écrit à la gloire des arpenteurs de Nouvelle-France
qui ont effectué, pour le roi, les premières divisions
du Nouveau Monde. Cet ouvrage m'a mis sur la piste
d'autres articles écrits, dans les années cinquante, par
Adrien Roche et son oncle, un professeur de philosophie thomiste. Des hommes du XVIIe siècle. Des

fossiles moraux, des héritiers de l'Ancien Régime. Imaginons qu'on appartienne à un groupe où l'on croit que le bonheur n'existe pas dans cette vie mais dans une autre vie après la mort. Que notre existence sur terre est provisoire et déchue, qu'il faut racheter une faute commise avant nous, un meurtre inexpiable. Que Dieu peut nous enlever notre vie quand Il le veut. Que ce monde-ci est un monde de souffrance et de peine et que le plaisir mène à l'enfer. Imaginons qu'on appartienne à un groupe où ce récit est la seule culture, à un groupe qui se rattache à ce récit comme à un phare dans la tempête. Un groupe qui saute directement du XVIIe siècle à la vie moderne. Il peut alors se produire, après des générations en nombre suffisant pour donner le vertige à nos petites cervelles, que la peur, longtemps encore, structure la mémoire. On constate ce phénomène dans les élucubrations jansénistes que le grand arpenteur Roche a écrites, en plein milieu du XXe siècle, dans une obscure revue que, par bonheur, on ne lit plus. De ce monde profondément hostile à la sexualité humaine était issue Michelle, et, par ricochet, j'en étais issu moi aussi, si tant est que «moi» ou «Michelle», nos noms et l'enveloppe perméable qu'ils désignent, soient autre chose que des épiphénomènes d'un seul bloc de mémoire isolé au nord de tout.

Selon Therroux, l'arpenteur Roche aurait fait partie d'une société secrète appelée l'ordre de Jacques-Cartier, connue sous le nom de Patente. Un groupe au sujet duquel les historiens ont peu de renseignements, dont les membres se recrutaient chez des professionnels comme ces arpenteurs canadiens-français ultramontains et ultranationalistes, les amis d'Adrien Roche, dont les voix et les habits sombres, dans un salon aux tentures fermées, à Québec, en 1959, étaient restés gravés dans ma mémoire.

Le lac Michelle, d'après Therroux, était à cinq heures de marche du lac Sauvage en passant par la forêt. Il n'y avait plus de piste, mais on pouvait s'y rendre à la boussole. Il fallait pour cela être en bonne forme physique. Je me sentais capable d'y aller, mais il n'a pas voulu : « J'aime autant pas, Santerre. J'ai peur pour toi, regarde-toi. Tu es malade. Peut-être plus qu'on penserait. Je n'aime pas ça. Fais vérifier ta formule sanguine au plus sacrant. »

Le ciel s'était couvert. Il n'était pas question de partir en forêt sans préparation. Le barrage avait depuis longtemps disparu. Il n'y avait plus rien à voir là-bas. Mais on pouvait deviner encore, parmi les épinettes, cinq sapins, nettement plus hauts et plus beaux que les autres, alignés au cordeau par le père d'Adrien Roche à l'entrée de son domaine. Trace d'ordre dans le désordre.

Le vent s'est levé et de grosses gouttes se sont mises à tomber. Therroux m'a invité à rester pour manger et coucher chez lui. Si le vent n'avait pas soufflé, est-ce que je saurais des choses qui resteront ignorées ? Il est redevenu taciturne, irritable. Il en avait assez. Il m'a fait réchauffer une boîte de fèves au lard. Lui ne mange jamais avec les autres.

Il s'est installé devant son poêle en marmonnant que la chasse n'est plus ce qu'elle a été, quand il suffisait de pénétrer dans la forêt, à une certaine date, l'automne, pour «tuer». Baisse du cheptel, prolifération des chasseurs. La chasse est devenue un loisir de ville. Et les urbains ont perdu contact avec leurs gènes archaïques. Des protecteurs de faune. Des dégénérés qui n'ont plus le sens de la place de l'homme dans l'univers. Voilà pourquoi on tue chaque minute à Chicago, à New York... Il avait passé un cap. Et je connaissais le délire des chasseurs.

Je me suis assis à l'écart. Il me restait un cahier. Je l'ai intitulé «La forêt». Pendant qu'il somnolait, j'ai échafaudé ma construction.

L'absence du père. La mésentente du couple. La fuite du mari loin de sa femme et de sa fille. Une manière, pour Roche, de rester en communication avec son père, avec le père de son père. La passion pour l'arpentage était sa façon de maîtriser les forces qui avaient démoli le rêve de son père. Le personnage se rapprochait. Son ombre avait toujours accompagné Michelle mais elle prenait des contours plus denses, plus humains, maintenant, comme si Roche émergeait de la brume du temps pour me parler. Je me souvenais de la photo dans un cadre ovale, au fond du tiroir. Des yeux ronds, des traits grossiers. L'image s'amalgamait aux épisodes racontés par Therroux et cela formait une entité indépendante. Michelle ne voyait jamais son père.

Mais elle l'aimait à la folie, je le comprenais clairement. Ou je l'imaginais ? À ce niveau de la mémoire, démêler la réalité de la fiction n'avait plus aucune espèce d'importance. Le jour de son anniversaire, il l'amenait manger dans un grand restaurant. À Noël, il la photographiait et elle m'envoyait sa photo. La princesse en crinoline et robe de velours portait en elle la trace méconnaissable du rêve détruit de son grand-père. Ce rêve et cette déception passaient par la vie muette et lointaine de son père et la traversaient, faisaient d'elle un mystère, une énigme pour elle-même. Je pouvais imaginer le grand-père paternel. Jeune mari fringant, plein d'espoir et d'esprit d'entreprise, qui se prend pour un inventeur, un chevalier de l'industrie ! Et son fils, ayant une haute idée de lui-même, compensant la perte qui a détruit son père et fait mourir sa mère. C'était l'archéologie sentimentale de Michelle et de Sarah que je tenais ce soir-là devant moi à la lumière de la lampe. Je voyais des traces de sentiments, comme en chimie on parle des traces de sels. Sans le savoir Sarah transporte encore, muré, le souvenir de la catastrophe qui a démoli son arrière-grand-père, déterminé le caractère solitaire de son grand-père, lequel est la pièce maîtresse, car la pièce manquante de la vie de sa mère. Une cascade. J'allais lui écrire.

Nous sommes le produit de ces marques qui parlent en silence, passent à travers nous. Dia-logue, en grec. Si Sarah n'avait pas entendu en elle-même une voix, un vague questionnement, si elle n'avait pas perçu l'appel du sens, est-ce qu'elle serait venue déterrer mes souvenirs sous prétexte d'un mal de dents ? Son regard traqué aurait-il exercé sur moi son effet singulier ? Son instinct lui aurait-il dicté les mots sibyllins qui ont fait revenir en un éclair le passé dans le présent, et qui m'ont fait dériver jusqu'à ce camp en bois rond, au beau milieu d'une forêt de la Mauricie ?

Les traces se délitaient à mesure, m'amenaient à d'autres traces, empreintes infimes sur la neige en hiver, blanc sur blanc. Presque rien. Réseau de signes, lacs de mémoire. On ne peut pas connaître le système qui les relie les uns aux autres. Pour comprendre, il faut interpréter, imaginer la suite peut-être, à remettre aux générations futures. Mon esprit germait et je comparerais mon sentiment, ce soir-là, à l'illumination du chasseur qui se prépare à rencontrer son orignal. Le sentiment d'avoir fait une découverte, quel que soit son ordre de grandeur, est source de joie. J'avais toujours voulu écrire un roman, et maintenant ce désir inassouvi me gonflait d'enthousiasme.

Je rentrerais chez moi, je fermerais le cabinet de dentiste. Je m'installerais à la campagne et j'écrirais. Dans le premier chapitre, je raconterais l'arrivée de Sarah. Les saignements de nez. La tempête de neige au mois de mai. Des repères caractéristiques. Un récit-sémaphore. Sarah se reconnaîtrait. Un jour, elle tomberait sur son histoire et la lirait. Tôt ou tard. Le livre était le truchement idéal pour la rejoindre. Un livre est un objet relativement difficile à détruire. Il en reste toujours un exemplaire quelque part. Peu, très peu de choses sont aussi résistantes. Le résidu, les pépites d'or des fleuves de mots que j'ai lus et admirés depuis ma jeunesse m'ont aidé à surnager, et j'avais une dette envers les livres, envers les autres. Par l'écriture, on peut tendre un pont entre les générations, entre deux ou trois générations peut-être. Je me sentais autant, sinon plus lié aux générations du passé et du futur qu'à mes contemporains. C'est ma mort que j'appréhendais. Je me replaçais, je me situais dans le temps d'une autre façon. Toute ma perspective, ma vision de la vie avait changé, comme changerait notre perception d'une dentelle dont on n'aurait toujours vu qu'un fragment, et qu'on replacerait tout à coup dans une vaste pièce reproduisant, à des échelles différentes, et à l'infini, le même petit motif complexe et alambiqué qu'on connaît si bien...

Si je n'étais pas allé chez Therroux, je n'aurais pas écrit. Tout est contingent. Rien n'est nécessaire. Mais ce soir-là, à la clarté d'une lampe à huile, dans ce chalet d'outre-monde, le sens de ma vie m'a été donné : j'étais un relais dans un espace de temps. Je communiquais, des deux côtés de la vie, avec le silence des autres générations.

Des atomes dotés de mémoire se rapprochaient et se rencontraient fatalement, en 1967, à Montréal, aiguillonnés, orientés les uns vers les autres pour s'être croisés ici dans cette forêt. Le grand-père voltairien quittant son Dauphiné après la Première Guerre, Dieu sait dans quelles circonstances,

s'incrustant dans cette forêt. La grand-mère attikamek, fille d'un chef célèbre, petite-fille et arrière-
petite-fille d'Attikameks, hantant depuis des temps
immémoriaux cette forêt. Martin, issu de ces croi-
sements, libertin, libertaire, libre penseur, dispa-
raissant dans la cohue du présent. Et de l'autre côté,
le grand-père arpenteur, janséniste, nationaliste
canadien-français, vengeant dans la forêt l'échec de
son père. La grand-mère victorienne, amoureuse de
la monarchie anglaise, détestant d'instinct cette
forêt. Et en aval, et en amont encore, d'autres
atomes dotés de mémoire qui échappaient à
l'imagination mais s'aggloméraient, engendrant,
dans le désordre et la confusion, l'écume du futur.

J'avais des matériaux : la lettre à Sarah, les notes
que j'avais prises dans mes cahiers. Rive sud, rive
nord, la forêt. Je tenais les fils, j'entendais les voix
en moi, le nous qui parle à notre insu quand nous
disons je. La Galerie de personnages qui chuchotent
en nous et font de nous des personnages pour nous-
mêmes.

Personne n'attendait rien de moi. J'étais libre.
Le silence était parfait et je comprenais maintenant
l'œuvre de ma mère. Je touchais, je soupesais la part
de moi-même qui était son œuvre : Dr Luc-Azade
Santerre. Chirurgien dentiste. Du solide. Mais le
vide en dessous me fascinait beaucoup plus.

La pluie tombait sur le toit percé de la cabane.
Therroux avait disposé sur le plancher des boîtes de
conserve pour recueillir l'eau. Les gouttes faisaient
une musique. Je me sentais en sécurité. Rien,
jamais, ne semblait devoir troubler cette paix,

l'ordre sans origine de cette musique. J'essayais machinalement de mémoriser la structure, l'organisation des notes produites par ces gouttes dans les boîtes de conserve.

Je crois que, cette nuit-là, j'ai compris l'avertissement. Therroux m'avait demandé de ne pas le déranger le lendemain en partant. De laisser la chaloupe au bord du lac. Un homme venait chaque semaine lui apporter de quoi boire et manger, et cet homme lui ramènerait son embarcation.

Nous nous sommes souhaité bonne nuit et il m'a répété pour la troisième fois: «Santerre, écoute ce que je te dis. Des analyses. Je n'aime pas ton teint. Ça peut être assez grave. Je ne me trompe pas souvent. Je sais de quoi je parle.» Et il a tiré le rideau de peluche qui faisait le tour de son lit.

Étendu sur le matelas en crin de cheval, je n'arrivais pas à m'endormir. À trois heures du matin, il s'est relevé pour fricoter du bacon. Il n'a plus d'heure pour manger.

«Tu as mauvaise mine, Santerre. Un teint cendreux. Tu as maigri. As-tu fait faire des analyses?»

J'ai éprouvé la même angoisse que, enfant, en écoutant des histoires avant de m'endormir. Celles du Petit Poucet, du Chaperon rouge. Quand un enfant doit passer par la forêt. Un effroi, une peur première. Un souffle qui vous lève comme une plume.

La pluie avait cessé. Dehors, le silence était

absolu. À l'intérieur, les bruits intimes. Le froissement d'un pantalon. Le crépitement du bacon. La chaloupe frappait régulièrement sur le quai. Des castors avaient bâti une cabane juste à côté. Therroux faisait bon ménage avec eux. Dans les ténèbres, l'un d'eux a fait claquer sa queue. Le claquement de queue d'un castor sur l'eau calme d'un lac, la nuit, dans une forêt éloignée de toute ville, a l'effet d'une paire de cymbales dans un studio d'enregistrement. J'ai sauté. Mon cœur battait. J'avais compris.

J'avais deviné, je crois, le sens de l'avertissement. J'étais mal en point. Je n'arrivais plus à jouer au golf comme avant. J'étais toujours fatigué. Je me faisais battre au tennis. Ce n'était pas normal. Mon teint était gris, mes vêtements étaient devenus beaucoup trop grands. J'étais arrivé depuis longtemps au dernier trou de ma ceinture. La fatigue, le découragement, le sentiment de m'être trompé de vie, d'être anéanti : quelque chose clochait. Quelque chose de *physique*, peut-être ! Je n'y avais pas pensé. Je m'étais trompé en croyant faire une dépression...

Le lendemain matin, la peur était dissipée. Le doute évaporé.

J'ai quitté la forêt rapidement, longé une rivière. Le sable rose contrastait avec la noirceur des épinettes. J'imaginais le canot d'écorce des missionnaires descendant joyeusement vers la mission de W. en été.

Apparaissent peu à peu les petites maisons clôturées et leurs jardins de légumes, les antennes de télé. Des villages, des petites villes. La forêt s'efface rapidement de la conscience. On oublie qu'elle est si proche, si active encore.

Maintenant, je suis prêt à quitter les rives de la mémoire, à aborder celles de l'oubli. Ma rate est hypertrophiée. J'ai expliqué au jeunot chargé de cette annonce que je n'étais pas étonné : la rate, organe lymphoïde, est le siège de l'antique Melancolia. «Le siège des défenses immunitaires», a répliqué le jeune homme. J'ai demandé si on me prescrirait de l'ellébore, si on m'expédierait au pays des mangeurs de lotus... Il m'a compris. Inutile, n'est-ce pas, de se battre pour des rendez-vous, des scanners.

Maintenant que je suis parvenu au seuil, j'affirme que tout ce temps j'ai deviné, sans la reconnaître, cette noble compagne sécrétant sa bile noire, me voilant la vue, m'éloignant des miens, progressant en moi comme un crabe. J'aime à me bercer de l'illusion que Sarah va me lire. Car la sensation inoubliable d'entrer dans un songe trompeur, c'est elle qui m'en a procuré le goût étrange, dont on ne se rassasie pas. J'ai reçu une carte postale. Son nom, en caractères nippons...

Lac Memphrémagog - Town of Mount Royal - Hôtel-Dieu de Montréal